# Camille, mon envolée

Sophie Daull

# Camille, mon envolée

roman

Philippe Rey

7, rue Rougemont – 75009 Paris

www.philippe-rey.fr

*À ma mère*

*Tu ne peux pas empêcher les oiseaux de la tristesse de voler au-dessus de ta tête, mais tu peux les empêcher de faire leur nid dans tes cheveux.*

Proverbe chinois

*Haute-Marne – jeudi 9 janvier 2014*

Tu es enterrée depuis une semaine exactement.

Sans ton cœur ni ton cerveau. Ils sont à l'étude au service des autopsies de La Pitié-Salpêtrière.

Ici mon chaton c'est la Maison Laurentine.

Tu n'y es venue qu'une fois, c'était à la Toussaint de tes 14 ans je crois.

Tu as mangé une tarte Tatin et goûté un thé compliqué en écoutant causer les adultes de la mauvaise marche du monde. Tu t'y es emmerdée grave, comme toujours depuis quelques années quand tu étais toute seule en vacances avec les parents.

Mais j'ai choisi cette maison pour essayer de mettre au propre et de donner une suite aux quelques lignes que ton papa et moi avons griffonnées sur un cahier bleu, cinq jours après ta mort. J'ai commencé à y écrire le 28 décembre, à Criel-sur-Mer, dans la baignoire de cette chambre d'hôtel offerte par Carole. Le cahier était sur mes genoux repliés, la vapeur rendait le papier poreux et le stylo marchait mal.

Je pensais surtout à toi qui lisais dans le bain des heures entières, même après que l'eau s'était refroidie. Le cahier est de marque Oxford, avec couverture plastifiée mais sans spirale, comme tu les aimais ; nous l'avions acheté quelques heures auparavant dans l'épicerie-tabac-boulangerie d'un village picard en route pour la mer, un village qui s'appelait, et qui s'appelle toujours, Crèvecœur.

Depuis mon cœur crevé je vais faire ça, raconter ta mort, ta maladie, ton agonie. Du jeudi 19 au lundi 23 décembre ; quatre jours, trois p'tits tours et puis s'en vont. Je vais relater dans le détail ta lutte, ton combat, blitzkrieg, parce que, putain, qu'est-ce que tu as été forte dans cette traversée de la fièvre et de la douleur. Médaillée, croix de guerre.

C'est un rapport parfaitement absurde parce que je l'adresse à une morte ; je te dis *tu*, je te dis *mon chaton*, alors que tu ne m'entends plus. Parfaitement absurde aussi parce que bien sûr je n'oublierai jamais ; mais je te le dois. Tu as si peu vécu que les quatre derniers jours de ta vie méritent bien un peu de précision historique. Et puis je m'ennuie sans toi, sans t'écrire. On s'écrivait tout le temps – nos lettres, nos textos. Je promets je vais forcer mes mots pour qu'ils échappent au sirop de deuil un peu gluant, poème pompeux, élégie larmoyante ; je vais inaugurer ton outre-vie avec une plume trempée dans ton regard quand il s'ouvrait grand : franc, droit, lumineux.

Je commence.

*Jeudi 19 décembre*

Ma dernière vision de toi en jeune femme debout, c'est devant la salle Maria-Casarès, où tu m'attendais avec Baptiste, Diane et d'autres amis de ton club théâtre. Tu t'es extraite de la grappe d'ados, tu t'es avancée vers nous les adultes, ta daronne et ses deux copines, avec cette aisance qui te distinguait tant : Bonsoir bonsoir, des bises légères, ton doux sourire, poli et profond, quelques mots de jeune fille bien élevée, un compliment sur le manteau de Christine G., ma vieille complice. On allait voir ce spectacle d'une troupe grecque : *Late Night*. Too Late en fait. C'était ta Last Night, et personne ne le savait. Nos réservations étaient séparées, nous n'étions pas assises ensemble, et j'aimais bien regarder ton profil quelques rangs plus bas en attendant le noir-salle. À la sortie, je suis allée boire un verre avec mes amies pendant que toi tu restais au débat. On est arrivées presque ensemble à la maison. Tu avais un peu mal à la tête et te sentais fiévreuse, mais tu as tenu à commenter le spectacle. Tu étais enthousiaste, la pièce te trottait dans la tête, tu fredonnais sans cesse la valse de la bande-son, tu voulais y retourner le lendemain, Baptiste pouvait t'avoir des places gratuites, et puis une nouvelle soirée avec Baptiste, hein? T'étais pas un peu amoureuse? Tu m'as fait *Pppfff, n'importe quoi!* en levant les yeux au ciel. J'ai quand même pris ta température. Tu t'es couchée avec 38° et la tête lourde. Tu ne t'es jamais relevée.

*Haute-Marne – vendredi 10 janvier*

Je m'accroche au cahier bleu.

Il tente d'établir une sinistre chronologie très bancale, qui met les souvenirs cul par-dessus tête, qui mouline des faits où la priorité du sensible l'emporte sur celle de la narration. Par exemple en tout premier dans le cahier bleu il y a écrit :

*Se souvenir du jour où elle m'a dit :*
*« Maman ? (temps) Je t'aime. »*
*Je crois que c'était le samedi mais tout le monde s'en fout.*

Voilà, j'ai entendu ça quelques heures avant que tu meures. J'ai répondu : « Moi aussi si tu savais comme je t'aime mon chaton », et déjà j'ai été retournée par une intuition morbide, comme s'il était possible que j'entende ces mots pour la dernière fois, comme si j'avais mal dans un endroit de moi que je ne connaissais pas encore, ou alors que j'avais oublié depuis si longtemps, quand j'étais la fille de ma mère, que j'avais 20 ans et qu'elle est morte. Mes disparues.

Je poursuis le rapport, le journal de ta mort.

*Vendredi 20 décembre*

Le matin la fièvre n'a pas baissé, il faut téléphoner au lycée t'excuser pour la journée, et sans doute aussi pour le samedi matin, dernier jour d'école avant les vacances. La surveillante au téléphone dit : «Bon, ben qu'elle se soigne bien, l'essentiel est qu'elle soit remise pour Noël...» Bien sûr. J'ai laissé un texto à Diane pour qu'elle prenne tes devoirs de vacances, elle m'a dit que la veille à la cantine, tu te sentais déjà vaseuse, et que décidément t'avais le chic pour tomber malade à Noël!

Moi à 11 heures je suis allée écouter le travail des élèves de Christine, la même vieille complice à l'ESAD[1]; ils avaient monté *Protée* de Claudel. C'était pas mal. Ça t'aurait plu. J'ai prévenu Christine que je ne resterais pas déjeuner avec elle après parce que tu étais malade. Parce que je préférais être près de toi. Mais, comme

1. École supérieure d'art dramatique.

c'était dans le même quartier, j'ai quand même fait un détour pour acheter un foie gras mi-cuit à l'adresse recommandée par notre ami Dom, dans le quartier Montorgueil. Devant les vitrines d'ustensiles de cuisine et de fournitures pour restaurateurs, j'ai eu une pensée pour ton grand-père, notre Papoune bien-aimé; le cadeau que je lui aurais trouvé cette année si ça ne faisait pas le quatrième Noël qu'on s'apprêtait à passer sans lui. Vingt-neuf ans sans ma mère, quatre ans sans mon père... Qu'importe puisque j'avais l'éternité avec toi. Penser à mes morts commençait tout juste à devenir doux. J'ai perdu quatre heures loin de toi pour Claudel et du foie gras.

Après, quand je suis rentrée à la maison vers 15 heures, je n'en ai plus jamais bougé. Pour te soigner, le jour, la nuit, te baigner, t'humecter les lèvres, te faire des nattes parce que tu avais les cheveux poisseux de sueur et qu'ils collaient à ton visage, changer ton pyjama, prendre ta température, t'accompagner aux toilettes, te redresser pour te faire avaler un peu d'eau, de nourriture, un médicament, te distraire, si possible... Très vite sont apparues d'impressionnantes courbatures fébriles. Ta douleur empirait d'heure en heure; chaque mouvement t'arrachait des cris et des grimaces... J'ai appelé ton médecin. Nausées? Non. Diarrhée? Non. Maux de tête? Non. De gorge? Non. Sang dans les urines? Non. Pas d'inquiétude, madame, c'est la grippe. Doliprane. On ne se déplace pas... Plus tard,

même discours des urgentistes que je suppliais de bien vouloir venir. Pas d'inquiétude, disaient les médecins au téléphone. C'est la grippe, nous sommes en période endémique. Doliprane. On ne se déplace pas.
Le vendredi après-midi, nous avons fait un grand ménage dans ta chambre. Comme si nous anticipions son rangement définitif. Tellement bizarre a posteriori... Je me doutais que j'allais y passer beaucoup de temps dans cette chambre : garde-malade, aide-soignante, lectrice... alors autant que ce soit propre ! On est d'accord ? Ta chambre était monstrueusement crade et en désordre. Alors j'ai vidé les poubelles, passé l'aspirateur, rangé tes fringues, classé tes affaires d'école... Je me souviens que je râlais depuis quelques jours parce que tu avais laissé depuis longtemps passer ton tour de nettoyage du lavabo, et en le faisant moi-même cet après-midi-là, j'ai eu une de ces intuitions morbides qui m'ont traversée deux ou trois fois pendant ces jours de douleur. Je regardais la tablette du lavabo où s'entassaient ton dentifrice pas refermé, tes pots de crème sans couvercle, tes bracelets rouillés, et je me souviens d'avoir eu la vision de cette tablette vide, nettoyée de tes affaires. Pour la chasser, je t'ai lancé depuis la salle de bains : « Eh ben, bravo, tu t'es encore bien démerdée pour t'épargner les corvées ! »

C'est ce jour-là aussi que j'ai reçu le texto de la naissance de Charlie. Je me suis précipitée dans ta chambre, tout heureuse : «Chaton, j'ai un scoop! Raphaèle a eu son bébé! C'est une fille! Elle s'appelle Charlie.» Tu as eu un tout petit sourire, et en penchant un peu la tête tu as dit : «Ah oui?... C'est joli, Charlie, c'est original pour une fille, mais c'est joli...» Je suis contente que tu aies su cette nouvelle avant de mourir. Je suis contente qu'une enfant soit née pendant que tu mourais sans le savoir.

*Samedi 21 décembre*
C'est le jour où j'ai mis un matelas sur ton matelas. Tu avais tellement mal partout que les lattes du sommier étaient autant d'épées. Alors voilà, supermaman a la solution : un matelas sur ton matelas. Je suis allée chercher au grenier celui qui sert pour tes copines quand elles dorment à la maison et j'ai doublé la douceur pour toi, pour ton corps si souffrant. Mais du coup, il manquait un matelas si Tantine restait dormir à la maison le soir du réveillon. Ta Tantine, Delphine, ma sœur chérie. Alors je suis allée en voler un chez Sylvie notre voisine, qui venait de partir au ski en famille. J'avais la clé parce qu'on devait nourrir le chat. Ce matelas, bleu, est resté dans le coffre de la voiture jusqu'au mercredi qui a suivi ta mort, où, entre deux rendez-vous aux Pompes funèbres, on l'a bien sagement rapporté chez ses propriétaires, dont nous n'avons jamais négligé de nourrir le chat, prénommé Zlat pour des histoires de foot. Cette

petite bête qui attendait ses croquettes, alors que tes Chocapic allaient moisir dans le placard, nous a peut-être rangés du côté de la vie.

*Haute-Marne – samedi 11 janvier*

Aujourd'hui la brume ne se lèvera pas. Dans la grisaille vaporeuse au-delà des champs, on croit distinguer les silhouettes de chevreuils, de biches. Mirages sans doute. Ou toi qui nous visites.

Dans le cahier bleu il y a quelques listes. C'est toujours très parlant, les listes.

Pendant ces quatre jours où je t'ai soignée, tu auras mangé : une demi-pomme, pelée et coupée en petits quartiers, un demi-yaourt, un demi-bol de purée et un peu de bouillon, en laissant au fond du bol les pâtes alphabet, les fameuses, qui ne passaient pas.

Pendant ces quatre jours où je t'ai soignée, je t'ai lu à haute voix : un article de *Libé* sur Sciences Po, la première scène des *Bons Enfants* de la comtesse de Ségur et quelques pages d'Artemis Fowl. Mais ça ne te changeait pas vraiment les idées, parce que je crois que tu étais tellement épuisée que rien ne pouvait te distraire de la douleur. Tu ne dormais plus. Chaque fois que je rentrais dans ta chambre, le jour, la nuit, j'espérais te voir assoupie, trouver un peu de répit, mais tu avais le regard grand et fixe pour ne pas disperser une seule parcelle de l'énergie que tu mobilisais pour lutter contre la douleur, rester en vie. Ou alors tu avais déjà peur, t'endormant, de ne pas te réveiller.

Pendant ces quatre jours où je t'ai soignée, la fièvre t'a fait délirer. Dans le cahier bleu j'ai dressé une liste de tous les propos incongrus que tu as tenus. Avec Papa et Delphine il nous arrive d'en rire maintenant, et même pendant, tellement c'était drôle de te voir si sérieuse alors que tu racontais n'importe quoi dans le bouillon de tes 40°.

À papa tu as dit : « Encore un coup des communistes ! » Lui t'a dit : « Tu délires », tu as répondu : « Je m'entends… »

Souvent tu as dit : « Il est nul ce metteur en scène ! » ou « Vraiment la pièce est très mauvaise ! » – tu parlais beaucoup de théâtre, sans doute à cause de ta dernière soirée de jeune femme debout, au spectacle des Grecs. Sans doute aussi parce que j'étais régulièrement en tournée ces derniers temps ; et je passais beaucoup de temps à te raconter mille anecdotes de loges et de coulisses dont tu ne te lassais jamais. Mais là, on aurait dit que tu sentais que l'auteur ne maîtrisait plus très bien ses personnages, que son histoire partait en vrille…

À moi un après-midi, alors que j'étais dans ta chambre à emballer les cadeaux en essayant de te divertir et de ne pas perdre trop de temps sur les obligations du planning de Noël, tu m'as dit : « C'est moi qu'il faut emballer dans le papier cadeau, maman. Emballe-moi dans le papier cadeau… » Ça m'a fait rire mais ça m'a terriblement troublée aussi. Comme une nouvelle intuition morbide. Toi, mon cadeau, emballée dans linceul…

Tu as raconté aussi quelque chose de complètement extravagant à propos de la maîtresse… comme quoi si elle disait ceci ou si tu faisais cela, ça « t'éviterait de faire la queue »…

Le dernier jour tu étais tellement figée par la douleur, tu n'arrivais plus du tout à te détendre et tes deux mains étaient crispées comme des pattes de crabe, tes doigts tout crochus, tes épaules rentrées dans le cou… À Delphine et à moi tu as dit : « Mais enlevez-moi ces pinces ! » et puis tu t'es rendu compte que tu délirais et dans ce qui ne fut pas loin d'être ton dernier sourire, tu as dit : « Edward aux mains d'argent… »

Et puis les dernières heures, tu as dit : « On rentre à la maison, maman ? », alors j'ai dit : « Mais tu ES à la maison, ma chérie… » J'y croyais vraiment, que tu étais à la maison, à l'abri, dans ton lit, dans mon amour…

Pendant ces quatre jours où je t'ai soignée, c'est la première fois de ma vie que je t'ai vue si longtemps sans tes lunettes. Avec ton père vous aviez ça en partage, tel père, telle fille, un premier geste du matin, un dernier geste du soir : chausser/déchausser les lunettes, où elles passaient la nuit échouées entre le mur et le matelas, dans un fatras de livres, de Kleenex à la morve séchée et de stylos qui marchent plus. Mais là, depuis trois longs jours, elles gisaient à ton chevet, comme un relief déjà de ton existence. Tu ne lisais plus, ne regardais plus l'ordi, pour les textos aux copains tu faisais en aveugle, en Petite Poucette – on venait de parler ensemble de ce livre de Michel Serres. Je contemplais ça, si rare, tes yeux nus, si bleus, si parfaitement dessinés, ton regard plein de lumière, très doux, concentré sur l'économie de la souffrance. Ton regard sans verres.

Plus tard, quelques jours après ta mort, ton papa était à mon chevet. J'étais très mal, j'affleurais des régions troubles où te rejoindre dans la mort pouvait constituer une hypothèse valable. C'était la nuit, il avait déjà enlevé ses lunettes, prêt à se coucher. Ses yeux étaient nus aussi, bleus, sans verres. C'est une chose qui ne m'est donnée à voir que très rarement, comme pour toi. Il était penché sur moi, inquiet, il craignait vraiment pour ma vie. Mais moi je croyais te voir. Tout ce que je voyais dans la figure de ton père sans lunettes c'étaient tes yeux à toi. Je hurlais entre deux sanglots qu'il te ressemblait trop, que c'était pas possible ces grands yeux comme les tiens qui me fixaient sans comprendre. Je l'appelais Camille. Lui voulait appeler les pompiers…

*Dimanche 22 décembre*
C'est à partir de ce dimanche midi que j'ai mis en place une feuille de température, comme on fait à l'hôpital. J'ai noté soigneusement les degrés de cette épouvantable fièvre, toutes les deux heures, 40°8, 39°9, 38°7, ainsi que les doses de Doliprane et d'Ibuprofène que je t'administrais toutes les quatre heures, conformément aux prescriptions de tous les médecins. Des médecins j'en ai eu plein au téléphone; j'étais une mère alarmiste, qui paniquait pour une grippe, qui encombrait les services téléphoniques. Cette feuille de température est désormais rangée dans une pochette cartonnée bleue que j'ai ouverte le soir même de ta mort pour y classer tout ce qui concerne ta non-vie. J'y ai écrit au marqueur noir «FEUE CAMILLE». Tu sais comme je suis organisée.

... Les heures durent des siècles, dans l'accablement de ta douleur, de l'impuissance à la soulager, des éclairs

aveuglants d'intuitions morbides. Tu me demandes l'heure souvent, espérant être enfin arrivée à la fin de la journée... Mais non, tu ne t'es assoupie qu'un tout petit quart d'heure. Vers 18 heures, je reprends le téléphone. Je rappelle le 15. J'exige, je supplie, je harcèle pour que quelqu'un se déplace, qu'un médecin t'examine. Enfin, vers 22 heures, on nous en envoie un.
Il trouve que tu souffres trop, il parle de morphine et de soupçon de H1N1.
Il te commande une ambulance pour t'envoyer à l'hôpital avec un courrier de recommandation pour le service des urgences. L'ambulance arrive. Papa et moi avons préparé un petit sac avec tes lunettes, ton téléphone, le chargeur et un pyjama. On est certains qu'ils te garderont en observation, enfin on le suppose, enfin on n'en sait rien. Je t'enroule dans un manteau, te mets aux pieds des ballerines parce que ce serait trop laborieux d'enfiler des baskets. Tu as si mal, c'est dément cette douleur. Quand les grands gaillards noirs t'enlèvent dans leurs bras et qu'ils te déposent dans l'ambulance comme une princesse sauvée d'un péril extrême, on échange une vague blague sur les contes de fées. Je pars seule avec toi dans la nuit. Aux carrefours pourtant déserts le chauffeur déclenche la sirène.
On a convenu que papa viendrait nous rechercher après la consultation.
Arrivés à l'hôpital, les grands gaillards noirs te déposent dans un fauteuil roulant. On n'attend pas

longtemps. On est reçues dans des délais plus qu'acceptables par cette interne qui pratique une auscultation soignée, mais qui est tellement désagréable.
Elle : Depuis combien de temps n'es-tu pas allée à la selle?
Toi : Comprends pas la question...
Elle : Bon, ben depuis combien de temps t'as pas fait caca, quoi! Pppfff... – sur l'air de «Vraiment quelle idiote elle comprend rien!».
Ça m'a beaucoup vexée, toi aussi. «Aller à la selle», faut quand même reconnaître que c'est un peu crypté comme expression...
Chaque fois que je veux apporter une précision que je juge utile, elle me cloue le bec avec des «S'il vous plaît, madame, laissez-moi parler!». Ça me fait de la peine. Je ne comprends pas pourquoi elle est si autoritaire, si excédée devant cette petite fille toute sage et bien courageuse qui fait de son mieux pour cacher sa souffrance. Quand elle lit H1N1 dans la lettre de recommandation, elle s'inquiète de l'absence de masque prophylactique, il faudrait protéger tout le service. De mon côté, j'avais trouvé bizarre qu'il n'y ait même pas d'abaisse-langue. Alors elle se met à naviguer dans les couloirs à la recherche d'abaisse-langue et de masque prophylactique pendant qu'on reste toutes les deux dans cette petite pièce pleine de néons et d'odeurs d'hôpital. Moi je commence à être un peu dépassée, je crois, vaguement nauséeuse entre l'état du service public et cette ridicule charlotte en papier

tissé qui couvre tes cheveux. L'interne va, vient, ressort, revient, et finalement nous tend une ordonnance de Doliprane. Cette fameuse ordonnance de Doliprane. Non non madame, pas de prise de sang. Inutile. Non non madame, pas d'antibiotiques. Inutile. J'ai pris l'ordonnance. Sans insister. Merci, madame. Et on nous a plantées là. Toi livide sur la table d'examen, moi désemparée à me demander où j'allais trouver la force de t'en faire descendre et de te conduire dehors jusqu'à la voiture où papa nous attendait. Au fond d'un couloir désert j'ai trouvé un fauteuil roulant. On a conjugué nos souffles et nos efforts et je t'ai poussée vers la sortie. Poussée vers la sortie... Plus de grands Blacks pour faire les Princes charmants, alors cette fois c'est ton papa qui t'a soulevée comme une jeune épousée. On t'a mise à l'arrière de la voiture, on a roulé dans la nuit et puis on t'a remontée à la maison, péniblement.

*Haute-Marne – dimanche 12 janvier*

Je le redis, chaton, ce qui m'impressionne et me fait trembler d'admiration et d'horreur, aux limites de la folie, c'est la vaillance de ton combat. Tu t'es forcée à manger, tu t'es forcée à boire, tu t'es forcée à sourire et même à faire de l'humour. Je te voyais si concentrée, si confiante, comme papa et moi l'étions dans tes ressources, dans notre amour, dans la médecine… Tu serrais les dents, tu ne te plaignais pas et tu faisais des efforts titanesques pour accepter les soins. Le plus dur, pour moi, pour toi, c'était le mouvement, le déplacement. Le poids si lourd, le temps étiré pour de toutes petites manœuvres. Aller aux toilettes, te tourner sur le flanc pour te mettre le thermomètre dans les fesses, lever tes bras pour passer une manche, porter à tes lèvres un bol de soupe. J'ai regretté très vite, en plaisantant avec toi, de ne pas connaître les prises de kiné : comme ils savent, eux, attraper les corps invalides pour les soumettre. Tu passais tes bras autour de mon cou, on comptait jusqu'à trois, 1-2-3, et avec toute ma petite force, épuisée et endolorie aussi, je te soulevais en risquant le tour de reins. J'essayais, de ne pas entendre la cruelle vérité de tes *aïe aïe aïe.* Jamais, je te promets, je n'ai soupçonné le moindre chiqué. Tout en moi chantait l'autre Camille, la chanteuse : « Je veux prendre ta douleur »... Je crois même qu'un jour, assise tout contre toi, les fesses sur ton oreiller, je te l'ai chantonnée. Tu n'as pas commenté.

Longtemps, dans les heures sans temps qui ont suivi ta mort, j'ai eu dans les oreilles ta litanie de douleur, quand il te fallait fournir un effort. Tu bougeais péniblement un genou, un coude, ton bassin ; ça prenait de longues minutes, et à chaque étape tu disais : « OK – Bon – Et maintenant qu'est-ce que je fais ? » Et je te guidais, dans un mélange indescriptible de patience, de compassion et de stupéfaction : « Ben maintenant, tu essayes de passer ta jambe là, tu prends appui là, tu bascules le poids sur ton coude gauche, tu essayes d'avancer tes fesses au bord du lit », etc., etc. C'était dingue tant de souffrance. Nous étions toi et moi incrédules devant ça, le mal partout, et ça faisait peur, très peur. Pourtant nous on n'avait peur de rien. Tu n'étais jamais malade ; et quand tu étais petite lorsque ensemble on soignait un rhume ou une gastro, on lui défonçait la gueule au microbe. On lui donnait même un p'tit nom, Arsène, Raymond ; on le boxait, et il était KO. Tu retournais à l'école avec du cuir sous ta peau de bébé. Les Arsène on en faisait notre affaire. On n'est pas des chochottes. On avait appris à se battre. Alors la grippe, fastoche. La fleur au fusil. Et puis de toute façon personne ne s'inquiétait vraiment. Tout le monde disait c'est normal, pas d'inquiétude. Savions-nous toi et moi à quel point non, ça n'était pas normal ? Savais-tu que la maladie t'en demandait trop ? Que ton cœur ne supporterait pas ? Le savais-tu, mon chaton ?

*Dimanche 22 décembre – nuit*

Au retour de l'hôpital, nous commençons ce qui sera ta dernière nuit. Nuit maléfique. Vers 4 heures du matin tu t'es levée, toute seule (comment donc as-tu réussi à te lever seule? combien de douloureux quarts d'heure as-tu consacrés à cet effort depuis que nous nous sommes endormis?).

Tu nous réveilles, je suis tellement épuisée depuis trois nuits que c'est papa qui te répond. Tu lui demandes *Les Justes* de Camus, à lire dans le bain pour t'avancer dans la prépa de ton bac blanc. Papa s'énerve un peu, je l'entends te dire que c'est déraisonnable, que tu vas réveiller les voisins, que c'est pas l'heure d'un bain, etc., etc. Qu'est-ce que tu devais donc traverser pour être à ce point incapable de trouver le repos, même quelques heures, et chercher par tous les moyens à te distraire de la souffrance? Je me réveille un peu mieux et tournant les yeux vers la porte, je te vois au milieu du couloir, entre nos deux chambres, dans un

contre-jour ophélique, te dresser péniblement avec un haut de pyjama blanc un peu flottant que tu venais d'enfiler – au prix de quels efforts? Tu supplies qu'on t'accorde cette faveur, ce bain. Tu ressembles à une vision, une apparition, une princesse dans les films à la con qu'on n'aimait pas, les *Narnia* et autres *Harry Potter*, toute baignée de fausse lune avec les cheveux scintillants contre la lumière.
Papa est très inquiet. Il ne trouve pas ça normal, cette histoire de bain au milieu de la nuit, il essaie de te raisonner, mais tu insistes. Moi je suis tellement épuisée que je n'ai pas la force d'intervenir. Depuis mon lit, je marmonne : «Laisse-la, tu sais comme elle aime les bains, ça lui fera du bien.» Papa finit par céder. C'est lui qui t'aide à monter dans la baignoire. Il dira plus tard qu'il ne t'avait pas vue nue depuis plusieurs années déjà, qu'il avait trouvé que tu avais de gros seins et que ta peau était épaisse, robuste, un cuir.
Ce glissement vers la défaite de la pudeur aurait-il dû nous alerter davantage? Non. Oui. Je ne sais pas. Un enfant malade est un enfant malade. Ses parents sont son unique consolation, la source de sa confiance, les garants de sa guérison. Ton papa était là, portant ton corps d'ado dans ses bons bras sûrs. Et c'est maman qui t'a recouchée. Dans un demi-sommeil, j'ai retiré ton peignoir bleu (que j'ai gardé après ta mort, le rose je pouvais pas je l'ai jeté), je t'ai remis un pyjama sec et propre. T'apaiser un peu. Attendre le jour.

*Lundi 23 décembre*

Last day of your life. Nous émergeons de cette terrible nuit. Tes cadeaux de Noël sont emballés. Nous attendons Delphine/Tantine pour 13 heures, elle doit m'aider à confectionner un beurre d'escargot et la marquise au chocolat, celle de Papoune, pour le réveillon de demain soir.

Dans la matinée, je vais en ville – vite fait l'aller-retour pour ne pas rester loin de toi trop longtemps. J'ai trois missions : le magasin de vidéos pour te louer *Aladdin* de Disney (sur les conseils de Diane tu me l'as réclamé – retour en enfance), t'acheter des vitamines à la pharmacie pour que la suite de l'hiver ne soit pas empoisonnée par des rhumes à répétition, et faire la queue au Monoprix pour t'acheter de l'eau de Cologne à la fleur d'oranger, pour te frictionner et que tu sentes bon, tu adorais la fleur d'oranger. Dans la queue à la caisse, je téléphone à Sylvie dans son chalet alpin pour lui dire que non, je ne pourrai pas

m'occuper de Zlat-le-chat deux fois par jour comme prévu parce que ta grippe requiert tous mes soins et que je veux rester près de toi le plus possible. Plus tard, elle me dira que ma voix était vraiment inquiète, que ça l'avait surprise. J'étais une maman attentive, mais rarement inquiète. J'étais une maman. Donc voilà : *Aladdin* – vitamines – fleur d'oranger.
Le reste de la matinée se passe dans ce train-train anxieux de douleur et d'inquiétude : nous nous enquérons inlassablement de ton état, de tes envies, de tes besoins... Tu nous chasses à un moment, comme les animaux blessés qui veulent être à l'abri des regards pour lécher leurs plaies. «Partez! Partez de ma chambre! Arrêtez avec vos questions!» Ton combat.
Vers 13 heures, ton papa part dans Paris acheter les derniers cadeaux de Noël. Il oublie son portable. Je m'en rends compte parce que ça sonne dans la maison quand je l'appelle pour lui demander de te trouver des jus de fruits en briquette, ceux avec la paille intégrée, plus faciles à consommer. Je ne m'inquiète pas.
Delphine, super-Tantine, arrive (sans les briquettes qu'à elle aussi j'ai demandées). Elle te voit pour la première fois depuis le début de ta maladie, faible, pâle, exténuée. Tu fais la fière. Tu veux être avec nous, à la cuisine. Tu veux faire cet effort surhumain pour te garantir que la vraie vie va revenir, que tu vas pouvoir regarder maman et Tantine s'engueuler en préparant la bouffe de Noël.

Alors avec Tantine on s'y met à deux pour te soulever. Tu hurles de douleur. Delphine a l'idée de te mettre dans ta chaise de bureau, qui a des roulettes, ce qui permettra de t'emmener dans la cuisine en limitant ta souffrance. Tu veux, tu veux absolument y arriver. Mais très vite on voit bien, échangeant avec Tantine des regards incrédules et désespérés, que tu n'y arriveras pas, qu'il faut renoncer, te recoucher. Je pense que là ça t'a foutu un vrai coup. Qu'est-ce que c'est que ce truc impossible, cette douleur, immaîtrisable, inapaisable? Plus aucun contrôle. Sans doute à ce moment tu as dû avoir peur, mais je n'ai rien vu. Tu n'as rien montré. Fière. Pour qu'on soit fiers de toi.

À partir de ce moment, Delphine et moi basculons en mode panique, passons des dizaines de coups de fil. Le 15 à nouveau, qui décide sans même une consultation d'envoyer tout de suite une ambulance, Dr M., ton médecin traitant, qui consent enfin à passer, mais pas avant 20 heures, les urgences pédiatriques de Trousseau qui ne font que Paris intra-muros et SOS Médecins, qui envoie quelqu'un dans une heure et demie environ.
Ce sont des moments pleins d'inquiétude, avec des visions terribles qu'il faut chasser très vite, des boucles de malheur qui nous assaillent Delphine et moi, notre père, notre mère, l'intuition affreuse de la répétition, les ailes de la mort qui reviennent obscurcir la raison, masquer le soleil de la logique : une

enfant de 16 ans ne meurt pas. De nouveau, l'intuition morbide face à la tablette de la salle de bains, au-dessus du lavabo : ton mascara, ton Cils Demasq, ton crayon de khôl... Se pourrait-il qu'un jour?... Mais non, voyons, c'est impossible.
L'ambulance s'annonce par téléphone, nous décommandons le Dr M., nous nous apprêtons à faire de même pour SOS Médecins, mais on nous répond que le docteur est en route, à dix minutes, alors on maintient la visite.
Là tu vas pas bien du tout, mon chaton.
Tu as très mal sous les fesses, elles te brûlent et pour la première fois, je n'ai aucune solution pour te soulager. Tu as des moments de délire, et surtout tu restes sans cesse avec le bras droit complètement crispé, rentré dans les épaules, avec les doigts complètement crochus – oui, comme si tu tenais des pinces.
Impossible de te détendre. Mais tu nous parles, tu te demandes si le médecin qu'on attend d'une minute à l'autre sera un homme ou une femme. J'ai descendu ton pantalon de pyjama sous tes genoux pour soulager l'irritation de tes fesses. C'est le leggins noir avec la dentelle aux mollets, celui que quelques minutes avant tu m'avais demandé de te mettre. J'ai même été surprise que tu te souviennes parfaitement au fond de quel sac il était rangé. Mais quand je veux te le remonter tu dis : «Laisse tomber.» Ça te fait trop mal tous ces efforts. Alors je le laisse comme ça, en bas sur tes talons; et à nouveau cette

défaite de la pudeur, ton sexe non caché me prennent à la gorge.

Enfin ça sonne, c'est Samira de SOS Médecins. Je l'appelle comme ça, parce qu'elle pleurait tellement quand ton cœur s'est arrêté sous son stéthoscope que je lui ai demandé : «C'est quoi votre petit nom ?» Nous l'accompagnons dans ta chambre, elle refusera toujours le verre d'eau proposé et même d'enlever sa veste.
Elle t'ausculte, normal, te repose toutes les questions, si tu as mal ailleurs, la tête, la gorge, si tu as la diarrhée, des vomissements, du sang dans le pipi... et toi, encore, tu réponds, poliment : oui madame, non madame...
Et puis tout à coup, je vois Samira qui s'affole, qui panique, elle sort son portable, le stéthoscope toujours coincé dans les oreilles, le marteau à réflexes dans l'autre main, et se met à appeler des gens, des tas de gens, des pontes, ses maîtres, des supérieurs, je sais pas, tout en continuant à t'ausculter. Je suis toujours près de toi. On te regarde, elle cherche à attraper ta tension, n'y arrive pas, c'est ce qui l'inquiète... Moi je vois quelques marbrures apparaître sur ton corps. Je le dis. Là encore, tu réponds, tu nous tranquillises, tu dis : «Mais maman, c'est comme toi, tu sais bien que j'ai toujours la peau un peu marbrée...» Et puis tu te mets à respirer très vite, comme la «respiration du petit chien» pour les femmes qui accouchent. La

dame te demande de te calmer parce que, à cause de cette surventilation, elle ne parvient pas à prendre ta tension et c'est ça qui l'inquiète le plus. Pendant ce temps, elle est au téléphone avec je ne sais qui et décrit dans des termes que je ne comprends pas un cas qui lui échappe, qui a l'air hypergrave, et pour lequel elle se sent démunie. Et puis soudain tes mains et tes pieds se mettent à devenir glacés, un froid inconnu, pas normal. Et puis de nouveau je regarde ta peau, et les marbrures se sont accentuées, répandues partout, plus tard j'apprendrai que ton corps s'est cyanosé, c'est ça le mot. Là la dame panique et je crois que c'est presque à ce moment-là que l'ambulance des urgences de Montreuil arrive enfin. Le type se pointe dans la chambre, c'est Tantine qui avait ouvert, et il dit : «Qu'est-ce qu'elle nous fait, la gosse?» – il doit croire à une TS ou à une overdose. Moi je réponds glacée : «Elle meurt», oui, je me souviens de ça, j'ai dit ça : «Elle meurt.» Son compère arrive. Là je crois que tu nous avais déjà quittés parce que j'ai surpris sur ton visage un rictus hideux, une grimace de mort qui t'a défigurée trois fois – ccrrr ccrrr ccrrr – avec un son qui, comme cette grimace, n'était plus humain. Ça c'est sûr, aucun vivant ne laisse ce masque se placer sur son visage, même à Halloween, même pour faire peur. Que pour mourir. Alors j'ai dû comprendre un truc, devant ton petit visage sans lunettes qui devenait crayeux et où la différence de couleur entre la pulpe des lèvres et

le reste du teint s'évanouissait. Oui c'est là que j'ai compris.
Dans ce court intervalle où ta vie a basculé – je l'ai bien vu qu'elle basculait, parce que la mienne avec –, Samira s'est mise à te masser le cœur. Un des deux ambulanciers dit : «Il faut la mettre au sol» – et il a dit aussi à son collègue : «Va chercher l'oxygène dans le camion.» – Je me souviens que j'ai employé mes dernières forces avec l'aide de la dame pour te glisser de ton lit sur la moquette, pour que tu sois sur du dur. Après, mes forces se sont mises dans ma voix, plus du tout dans mes muscles. L'ambulancier et Samira se relayaient au massage cardiaque, ils s'engueulaient sur la technique, compter jusqu'à 7, jusqu'à 10, faire une pause à chaque cycle, ou pas... Et moi je hurlais : «Reste là! Camille tu m'entends? Reste avec nous! Respire! Tu dois faire Sciences Po, tu seras ministre!» etc., etc. Je hurlais n'importe quoi, comme j'avais hurlé n'importe quoi à Papoune quand il m'avait claqué dans les pattes l'autre Noël déjà. L'éternel retour du pire renforçait mon vertige, ma panique. J'étais à ta tête, Tantine à tes pieds, qu'elle massait. À un moment, l'évidence m'a tellement sauté à la gueule que j'ai hurlé : «NON!.... », et là Samira, presque en pleurs déjà, m'a dit : «Madame, s'il vous plaît...»
Pendant ce temps, il y a le sketch du deuxième ambulancier, qui revient avec la bouteille d'oxygène, et son collègue qui lui dit : «Ben t'as pas le masque?», et l'autre dit : «Ah ben non», l'autre lui dit : «Ben va le

chercher», et le type redescend, traverse la cour, va à son camion, retraverse la cour, remonte les escaliers : «Ben je l'ai pas trouvé». Et toi t'es sous nos yeux en train de mourir. Et je ne saurai jamais si ce putain de masque qu'on aurait enfin trouvé au fond de l'ambulance aurait sauvé ta vie.
Ensuite tout s'accélère, ou plutôt s'arrête, ou se cogne en désordre dans un temps brouillé.
Les pompiers arrivent, ils sont très nombreux, très impressionnants, suréquipés d'un matériel compliqué, des ventouses, des seringues, des boîtiers électroniques. Ils te branchent à quelque chose, un défibrillateur sans doute, et la machine dit «choc non recommandé». Je demande ce que ça veut dire, on me fournit une explication, mais je n'ai pas compris, ou oublié, ou pas écouté. Ta chambre se remplit d'hommes et de femmes en rouge et noir. On renverse ton lit contre le mur pour faire de la place. Je crois que c'est là que je t'ai quittée pour toujours. On a dû me mettre dehors. Dans le salon, j'ai vu Tantine les yeux fixés sur la nuit qui tombait devant la fenêtre. Elle avait les mains jointes sous le menton et priait je crois, disant : «Allez allez...», invoquant probablement les mânes de nos parents et tous les astres et tous les dieux... Une femme est sortie de ta chambre, le visage très grave, une belle femme brune, vigoureuse. Plus tard j'ai su que c'était la capitaine-docteur des pompiers : Perry, c'est son nom. Elle m'explique qu'ils sont en train de te chercher une place à Paris

dans un bloc de réa cardiaque. Qu'elle avoue ne pas être très optimiste, et qu'elle est désolée, mais que je dois très vite me positionner sur la question du don d'organes... Je dis oui, bien sûr. Je m'entends dire ça, j'ai même dû ajouter qu'il fallait quand même que j'en parle à son père.
Et c'est là que je reconnais les pas de papa dans l'escalier. Je ne me rappelle plus comment je l'ai accueilli sur le seuil. Je crois que j'ai dit assez posément trois phrases. La dernière concernait le don d'organes.
Il n'est pas entré dans l'appartement, il s'est jeté sur les marches du palier en hurlant : «Je vais les tuer, je vais les tuer!», il parlait des urgences. De cette putain d'ordonnance de Doliprane la veille au soir. Déjà l'effroyable doute que rien ne viendra jamais lever : «Et s'ils t'avaient gardée la veille au soir en observation?» Tous ces «Et si, et si?», on le sait papa et moi, peuvent nous rendre fous. Oh mon chaton...

Dans l'escalier, toujours ce branle-bas de combat, des allées et venues précipitées, et puis c'est la civière qu'on apporte, ça y est, on a trouvé une place à Bichat. Des motards ont été commandés à la préfecture pour escorter l'ambulance. On met tout l'appartement sens dessus dessous pour te ménager un passage, on pousse les meubles, on met dans la cuisine les affaires qui bloquent l'entrée. On t'emmène. On ne te voit pas sur la civière. Tu y es comme saucissonnée et recouverte d'une couverture de survie, dorée.

La capitaine des pompiers m'explique où est Bichat, demande si nous sommes motorisés, si je suis en état de conduire, insiste sur le fait qu'il est inutile de nous précipiter. Ses yeux sont très grands, guettent mon sang-froid ou ce qu'elle croit deviner comme tel au fond de mes yeux à moi. J'entends les sirènes des ambulances. Des gens circulent encore dans l'appartement, remballent le matériel, Samira est en larmes, je la serre dans mes bras. Elle aussi finit par s'en aller après m'avoir laissé son numéro de portable. Un dernier pompier relève encore nos noms et puis on est seuls, il faut partir, il pleut très fort. La météo depuis deux jours annonce un avis de tempête pour le 24. Elle a déjà commencé, on dirait.

On prend la voiture, c'est moi qui conduis, nous sommes silencieux. Sur le boulevard Chanzy, on croise plein d'ambulances et de voitures de pompiers dans un aveuglement de gyrophares. On pense tous les trois à la même chose, un accident d'ambulances, la tienne allait trop vite et elle a percuté quelque chose... Sur le périphérique, bizarrement, ça roule à peu près. On arrive porte de Saint-Ouen, on trouve l'hôpital facilement. On se gare dans la cour des urgences et on se met à circuler dans les services pour savoir où tu es. À un guichet une femme nous dit : «Oui oui, je suis au courant, oui oui, Camille Lucas, elle est attendue mais... ils ne sont pas encore arrivés...» Alors là nous devenons fous, nous revoyons la scène du boulevard Chanzy, nous nous affolons : tu es partie vingt minutes avant nous avec des motards et des véhicules prioritaires et tu n'es toujours pas là! Je rappelle les pompiers et soudain j'en vois un qui téléphone et je vais vers lui parce que je suis sûre que j'ai raison et je lui dis : «Vous venez de Montreuil?» Le type me dit oui et il raccroche après avoir dit à son interlocuteur : «C'est bon, j'ai la maman avec moi, là» et il nous guide dans le service où tu es. Là on nous dit d'attendre, on retrouve la capitaine Perry qui nous explique qu'on t'a placée sous CEC : circulation extracorporelle. On met ton cœur au repos, totalement, et on observe si c'est curable : un caillot à éjecter, une artère à déboucher. Si c'est curable on cure, on rebranche et on observe si ça tient. Évidemment les risques de séquelles, de coma prolongé et tout ça sont très importants. On ne peut rien savoir avant deux heures, de toute façon. Dialogues, décors, personnages de série télé. J'ai besoin de boire un verre, Delphine n'a plus de clopes. On sort, elle et moi. Il pleut vraiment fort, avec des bourrasques glacées. Le quartier est sinistre, sale, vide. On ne trouve pas de tabac et on avale vite un verre dans un café des Maréchaux. Je ne sais plus ce qu'on se raconte avec Delphine, on ne pleure pas. On retourne à l'hôpital. Papa parle avec des gens, on se dit qu'on est restées dehors trop longtemps, qu'on a raté un moment capital, mais en fait non, il faut encore attendre un peu.

On n'a pas attendu longtemps. On nous a convoqués dans une petite pièce un peu trop confidentielle. J'ai tout de suite compris que le silence de la pièce et la profondeur des fauteuils n'avaient d'autre raison d'être que d'amortir les mauvaises nouvelles, les très mauvaises nouvelles. C'est une dame qui s'y est collée. Un peu de blabla d'introduction et puis la voilà la phrase, la Phrase, la mauvaise nouvelle, le coup de hache : «... Mais malheureusement ils n'ont rien pu faire, elle est décédée.»

Voilà. Fin de ta vie, chaton. Sur le papier de l'acte de décès, ils ont marqué 20h55.

*

On nous a laissés partir comme ça, avec juste une ordonnance pour un vague antibiotique à prendre en unidose, censé nous protéger contre une hypothèse de bactérie qui aurait entraîné ta mort, mais ils n'avaient pas l'air d'y croire beaucoup. Le monsieur a prévenu papa que ce médicament risquait de colorer en orange ses urines. Ce qui a été le cas. Assez rigolo au demeurant.
Pas de proposition de soutien psychologique, ni d'un taxi : «Revenez demain matin signer les papiers pour l'autopsie, merci.»
Et on s'est retrouvés sur le parking des urgences, en état de choc, c'est le mot qu'on dit dans ces cas-là.

Comme des zombies, on s'apprêtait à reprendre la voiture, debout tous les trois, comme si la balle qui venait de nous perforer prenait son temps pour faire son travail de mort, trouver l'organe vital, nous tuer nous aussi. J'ai dit : «On fume quand même une clope?»
C'est là qu'on s'est effondrés tous les trois. C'est là que j'ai entendu sortir de ma gorge ces sons de bête, ces plaintes de vieille Africaine, de folle sicilienne, tu vois?, ce genre de hurlements où quand tu vois ça dans les films ou les documentaires tu te dis, non, c'est trop!...
Plusieurs nuits, ces cris sont sortis de mon ventre. Ça faisait un peu peur aux voisins. Ça me faisait peur.
Papa a sorti de son sac le petit livre, tu te souviens, qui s'appelle *Des milliards d'étoiles*, celui pour apprendre à compter, et même aussi un petit doudou. Il avait cette grimace dont je n'avais vu que l'esquisse à la mort de sa mère, et il brandissait sous mes yeux ces objets qui datent du tout début de ta vie en hurlant : «Regarde, regarde!» Il croyait peut-être que tu t'en sortirais, qu'on te visiterait pendant des semaines au fond d'un coma, que tu te réveillerais comme un tout petit bébé...
Moi je savais déjà que tu étais perdue quand on a quitté la maison.
Je savais que le petit corps, là, dans la civière aux reflets dorés, était celui de mon enfant morte.
La tempête était bel et bien là.
Elle avait commencé. Le vent était fou et la pluie glacée. Et dans nos cœurs le cyclone pour toujours.

*

Voilà, je l'ai fait. Je voulais ça. Raconter les quatre jours de ta maladie. Me souvenir de ton combat. De comment tu t'es dressée presque surnaturellement contre la douleur. Comment tu ne t'es jamais plainte, comment tu «vigilais», nuit et jour, jour et nuit, pour tenir à distance ce machin qui t'attaquait si méchamment. Tu serrais les dents, les poings; et sauf si tu l'as fait en secret, ce que je ne crois même pas, tu n'as jamais pleuré.

Tout à l'heure, plus tard, on verra bien, je te raconterai la suite. Je te raconterai la première nuit, la deuxième nuit, la troisième nuit sans toi... Je te raconterai les devis aux Pompes funèbres, les réveillons délirants, la géante orgie de malheur. Je te raconterai peut-être même aussi ton enterrement.

*Montpellier – 22 janvier*

Demain, chaton, on sera le 23 janvier, le premier anniversaire de ta mort, tant qu'on les compte en mois ; ce sera aussi ma première sur scène depuis que tu ne m'y applaudiras plus jamais.

Tu sais, maintenant, je suis obligée de calculer le nombre d'années qui me séparent de la mort de ma mère. Ça fait vingt-neuf. J'ai recompté tout à l'heure.

Je supporte mal l'idée qu'il en sera peut-être de même pour les années qui me sépareront de ta mort – « combien ça fait déjà ? Ah !… Huit ans déjà ? »

Je supporte mal l'idée de te survivre un temps long comme l'oubli de ta mort.

Je supporte mal l'idée de vivre encore au moins un temps long comme ta vie, seize ans. Et pourtant mon espérance de vie statistique m'y condamne à coup sûr.

Désormais je vais faire ça : vivre la vie des en-allées trop tôt. Je dure dans trois vies de femmes maintenant, la mienne, la tienne et celle de ta grand-mère jamais connue.

Je vais inventer tes après-16 ans, ses après-45 ans. Oui je vivrai pour trois, mes envolées, je vivrai au cube, je serai l'antifantôme, l'ultraspectre, la démolie qui vit de vos restes, de vos âmes, en miettes.

Je t'avais dit que je te raconterais les jours qui ont suivi, mais j'ai le temps. Tu n'es pas pressée.

Ça fait quand même bizarre de t'écrire, de te dire « tu », de dire « mon chaton », surtout d'ici, depuis cette chambre d'hôtel ; je t'ai si souvent écrit de longues lettres depuis mes chambres d'hôtel quand j'étais en tournée. Enfin, pas si souvent dernièrement, à cause de nos paresses et des « nouveaux moyens de communication », comme on dit. J'ai Clochette-la-bougie avec moi. On se demande qui veille sur qui.

Papa dit des fois qu'on t'a volé ta vie.

Il est obsédé par l'idée que peut-être tu t'es foutue en l'air.

Parce qu'on ne t'a pas assez aimée, parce qu'on te mettait trop la pression, parce qu'on était trop exigeants, parce qu'on était trop compliqués. Il délire. C'est ce besoin qu'il a de tout voir en noir, tu le connais. Mais là c'est un noir plus profond que quand l'univers n'existait même pas. Alors je dois le raisonner, faire pétiller tes fous rires dans son souvenir, et alors oui, il comprend que non, tu n'étais pas déprimée, que tu n'as pas volontairement fait faux bond. On a eu des sacrées tranches de rire tous les trois : tu faisais « l'ascenseur » devant la télé ou le long du bar de la cuisine, tu avais inventé le détective Didier Menu avec ton ciré bleu et la vieille pipe en ivoire de ma grand-mère, tu faisais la folle chaque jour de ta vie entre 19 h 15 et 19 h 45, et quand tu déformais le visage de tes peluches pour leur donner d'inénarrables expressions, les nôtres étaient tordus de rire. Comment oublier ça ?

Dans cette maison, on s'aimait, on s'engueulait, on riait ; on était délicieusement libres de s'aimer, de s'engueuler, de rire. Ton jeune sang et le nôtre un peu plus épais formaient un fleuve intranquille où l'avenir battait pavillon.

C'est pour ça que je vivrai ta vie, que mon sang aura désormais toujours 16 ans. Tu me regarderas et me guideras, selon ce que tu fus, ce que tu promettais, ce que tu aimais de moi. Je vais exister par en dessous, par soustraction, par extension de toi, dans la copie de ta pudeur contre mon excentricité, de ta réserve contre mon exubérance, de ton repli contre mes tripes à l'air.

*Montpellier – samedi 25 janvier*

Avant-hier je suis donc remontée sur scène. J'ai joué Cornélie, la veuve de Pompée, dans la pièce éponyme. Ça a été tellement dur. *Rien ne me fait rougir que la honte de vivre.* Ou : *Je dois rougir pourtant, après un tel malheur / de n'avoir pu mourir d'un excès de douleur.* Avoir dans la bouche cette éternelle lamentation en alexandrins. Tenir entre mes mains l'urne des cendres de mon mari pendant tout l'acte V. Se tenir droite. Projeter la voix. Marcher sur des talons. Se maquiller. Tu sais, depuis que tu n'es plus là, je n'ai pas remis de rouge à lèvres, pas même poudré mon nez – à quoi bon, je pleure tout le temps.

C'était surhumain. J'ai tenu bon, mais aux saluts j'ai éclaté en sanglots. Sous le plein feu et les applaudissements, je sentais mon visage grimacer de douleur, encore enlaidi par les fards et les faux cils qui se décollent. Pppfff, un carnage. Je m'accrochais aux mains de mes camarades pour ne pas tomber. Ils étaient tous là, aimants et bouleversés, à me tisser un filet de sécurité, un matelas de réception après le grand saut. Tous ceux que tu aimais tant, depuis toutes ces soirées en loge à discuter avec eux, ces jours de relâche où ils t'emmenaient au cinéma ou faire du canoë. Et qu'est-ce qu'ils t'aimaient aussi, c'est fou. Ils aident ta maman avec une tendresse infinie parce qu'ils te connaissaient, ils savent qui j'ai perdu ; une gosse sympa, jamais boulet, jamais collante. Une belle gamine plutôt marrante et à l'aise avec les adultes. Quand je te raconterai la cérémonie de ton enterrement, tu verras que je ne dis pas ça juste pour te faire plaisir, pour faire « sainte Camille ». Parce que maintenant, tu sais, tu as une auréole. Ce sont nos larmes, et l'onde d'amour autour de ta mort, et le vertige de l'injustice, et le souvenir de ta beauté qui l'ont tressée.

Papa et moi sommes loin l'un de l'autre depuis plusieurs jours et je perçois ce qui le hante aujourd'hui, un mois après.

Chaque jour qui passe agglomère des questions désagréables dans sa tête. Poison. Des questions que moi j'écarte, peut-être parce que je ne suis pas encore assez solide pour y faire face, pour escalader à mains nues cette paroi du malheur.

En fait c'est pas des questions : c'est UNE question : Où avons-nous été défaillants ? *Wo haben wir gefallen, Frau Stern ?* comme dit Otto dans *Jubilé* de Tabori.

Papa est hanté, je le sens, par l'absence de réponse. Il veut multiplier les entretiens, les rencontres avec des médecins, tout ça, il attend avec impatience les résultats définitifs de l'autopsie puisque le précompte rendu n'a rien révélé, rien, aucune anomalie, rien… Il a besoin d'une explication, peut-être même d'un coupable… L'absence de réponse fait béer dans nos âmes les bouches noires du remords et de la culpabilité. L'absence de réponse fait vibrer dans nos cœurs l'aiguille affolée d'une boussole qui ne trouve pas le nord de la cause, de la faute, de la raison. Mais moi j'ai l'intuition que rien de satisfaisant ne viendra éclairer ça, ce mystère, cette absurdité, cette tragédie, quel nom donner à ta mort, ce gouffre.

*Ne pas pleurer de l'avoir perdue, se réjouir de l'avoir reçue…*
*Elle avait fait son temps de vie, même si court*
*Il y a le mystère de la vie, et il y a le mystère de la mort*
*C'est la vie…*

Les gens ont des phrases toutes faites tirées de leurs manuels de consolation…

Je ne veux pas être consolée.

Je vis la coupure, la vie tranchée. C'est tout.

*

J'ai vu Lola ce soir, ta vieille copine de Montpellier. Avec sa mère, elle est venue voir le spectacle. Non, Lola n'a pas pleuré, si c'est ce que tu veux savoir. Sa mère, oui. Nathalie. Nataly, faut-il écrire désormais. On aurait bien rigolé ensemble en commentant cette nouvelle signature.

Lola, tu sais, c'est Lola. Tu te souviens, on disait qu'elle ressemblait aux poupées qu'on gagne sur les fêtes foraines, avec ses grands cils, sa blondeur et son sourire qu'on dirait peint. Eh ben, ce soir c'était pareil, c'était Lola. Smiiiiile… C'était à se demander si elle savait de qui on parlait… De toi, putain, de ta mort ! Et Nathalie était là qui essayait de ne pas craquer, m'offrant une boîte de chocolats, s'efforçant de parler d'autre chose, *vous êtes logés comment ? c'est des vrais cheveux ta perruque ? vous avez du monde tous les soirs ?*… Et puis forcément ça n'a pas duré… Moi j'ai toujours besoin de parler de toi, de comment t'es plus là, de comment tu me manques, de comment t'étais bonne à l'école… Alors enfin Nat(h)aly(ie) s'est mise à pleurer, par hoquets, sans retenue dans le bar du théâtre. Je lui ai tendu un Kleenex, j'en ai pris un aussi, et on s'est serré très fort la main. Je ne sais pas quoi penser de Lola qui n'a pas fourré la sienne dans les nôtres. Timidité ? Ennui ? Insensibilité ? Est-ce que quinze heures de danse classique par semaine peuvent rendre insensible ? Ataraxique comme dirait l'autre ?

Bref. Tu savais déjà tout ça rapport à Lola. Lola, c'était un bon plan pour des vacances dans le Sud. Rien à dire à ça. On est d'accord.

Je fume comme un pompier.

Bon, donc, je reprends, chaton, je raconte tout.

Le premier soir, le deuxième soir, le troisième soir ; comme promis.

*Lundi 23 décembre – 21 heures*

Pour le retour Bichat-Montreuil, c'est papa qui conduisait. Je ne me souviens de presque rien jusqu'à ce qu'on soit arrivés à la maison. La maison. Ta maison. On a allumé une bougie, la mauve, celle qui était sur le bar et que Flavio nous avait offerte. On l'a posée sur ton livre *Des milliards d'étoiles* que papa avait placé sur la table du salon – il y est toujours. Delphine était à ma droite, Jean-Luc à ma gauche, je présidais au bout de la table. Comme d'habitude : plus près de la cuisine. Je ne me souviens pas de grand-chose. Hébétude. Larmes. Mains serrées. L'obsession de ta chambre. Ta chambre de douleur, comme je disais, se forcer à ne pas y penser. La balle reçue à Bichat continuait sa trajectoire, mais le sang ne coulait toujours pas. Bizarre. J'attendais tranquillement de mourir, mais ça ne venait pas. Bizarre.

Vers 2 heures, on a appelé un taxi pour Delphine qui a préféré ne pas dormir là. Après je ne sais pas.

J'ai dû me laver les dents, m'étonner, de même que chaque soir encore maintenant, de pouvoir le faire comme si de rien n'était, et puis comme des cons, comme les cons que nous serons encore pour l'éternité, nous nous sommes couchés, ton père et moi, dans notre lit. Sans doute on a dormi, cauchemardé, crié. Cauchemars terribles : j'y voyais ton agonie, l'horreur, les rictus, le masque, les râles, la fin... Au même titre que les cauchemars des plages de demi-veille sordides, où je voyais tous les avantages que je pouvais retirer de ta mort. Pas de gendre infect, de petits-enfants mal élevés, de déprimes à éponger en cas d'échec à Sciences Po ou de divorce à 30 ans... Pas d'insomnies tordues d'angoisse à attendre ton retour de boîte de nuit, ton coup de fil du dimanche, tes résultats d'analyse. Je calculais tout ça en me frottant les mains. C'était horrible. C'est l'ouverture du chapitre «Mauvaises pensées». Tu verras il y en aura plein d'autres. Du sarcasme indigent. De l'humour aigre. Du sable entre les dents, comme si ça faisait passer la pilule. Sale nuit. Dans les bras de ton papa. Dans ses bras.

On avait mis un réveil parce que le lendemain, comme je t'ai dit, on devait retourner à Bichat pour les papiers de l'autopsie.

*Mardi 24 décembre*
Donc on se lève tôt. Chaton, je ne me souviens plus comment on a fait du café, si on en a bu. Sans doute, comme d'habitude, me suis-je lavé les dents, pressé une orange... Ce «comme d'habitude», déjà, tout de suite, faisait sonner la petite musique du hideux quotidien comme une insulte à ta non-vie. D'être vivants, avec tous ces gestes de tous les jours, pour tous les jours qui viendraient désormais, me paraissait, me paraît encore, le comble de l'absurde, la pire des punitions. Un commandement sans pitié. Le onzième.

On est retournés à Bichat. Je crois que cette fois, dans ce sens-là, c'est papa qui conduisait. Je n'en suis plus sûre. Nous n'avions déjà plus le droit de nous garer sur le parking des urgences, fin des privilèges; alors on s'est enfilés dans des souterrains qui tournaient sans fin de sous-sol en sous-sol. Devant une barrière, j'ai avisé une dame, une doctoresse sans doute, je suis sortie de la voiture pour lui demander de nous expliquer où nous garer pour atteindre le service où nous étions attendus. Comme elle était surprise, je lui ai dit pourquoi on était là, elle a eu l'air accablée, elle a dit : « Suivez-moi » et elle est remontée dans sa voiture en mettant chaque fois très correctement le clignotant pour qu'on ne la perde pas dans ce dédale invraisemblable. Elle nous a indiqué une place de stationnement, peut-être même la sienne attitrée, nous a souhaité beaucoup de courage et nous a montré les ascenseurs.

Delphine avait dit qu'elle nous rejoindrait directement à l'hôpital. On est arrivés dans le service, on s'est annoncés. Ça a fait plaisir de constater qu'on était attendus, mais il fallait quand même patienter quelques minutes, ce qui a laissé à Delphine le temps d'arriver. Le professeur Bathelier est entré, Romain de son prénom. Il ressemblait à Allan, le père de ton copain Tim, ta bête noire de maternelle, ça nous a tout de suite frappés, surtout quand il souriait. Il n'a pas souri souvent, c'est vrai. Il nous a expliqué les trois hypothèses qui pourraient justifier ta mort, expliquant que tu étais décédée (DCD, comme dans les films, comme tu disais des fois en blaguant avec tes potes à propos de la difficulté d'un devoir ou de l'angine d'un copain...) d'un arrêt cardiaque, mais que la cause de l'arrêt cardiaque était inconnue. De toute

façon, a-t-il ajouté, c'est toujours plus ou moins d'un arrêt cardiaque qu'on meurt.
Il nous a dit, justifiant de ce fait la demande d'autopsie, qui aurait lieu au laboratoire de neuropathologie de La Pitié-Salpêtrière :
Premièrement, que peut-être tu avais une malformation cardiaque qui n'aurait jamais été détectée. Mais bon, tu as fait deux ans de piscine, et tes profs de sport ne nous ont jamais rien signalé...
Deuxièmement, que le virus, quel qu'il soit, H1N1, H3N28, on s'en fout, a pu se loger sur le cœur dans les dernières heures et le dévorer en très peu de temps. Que si c'était le cas, la façon dont il endommage l'organe au cours de cette dévoration est lisible à l'autopsie. Ça s'appelle une myocardite.
Troisièmement, mais avec une dose de probabilité tellement faible qu'il l'écartait presque d'office, une histoire de méningocoque, une bactérie qui déclencherait ce qu'on a coutume d'appeler une méningite.
En fait, chaton, je me suis trompée, c'est ce matin-là seulement, et pas la veille au soir, qu'il nous a prescrit cet antibiotique qui a fait faire pipi orange à papa. On lui a même demandé si «on pouvait réveillonner?»; on avait peur qu'il nous interdise de picoler...

Puis on a signé les papiers, posé encore une ou deux questions, et on nous a dirigés vers un autre service, des bureaux cette fois, pour les bulletins d'admission et de sortie à remettre à la mutuelle et à la Sécu.

L'informatique était en panne, la dame a dû nous faire des papiers manuscrits, à l'ancienne, avec des polycopiés dont le troisième feuillet est illisible. Elle nous a adressé ses condoléances, nous a souhaité beaucoup de courage, s'est enquis une dernière fois de notre volonté de te voir dans la chambre mortuaire, située dans un autre sous-sol. Moi je savais que non, je ne voulais pas : je t'avais vue morte déjà, mon chaton, j'en suis sûre maintenant. Je le sais à cause de mon collègue Pierre-Stefan, dans le TGV il y a quelques jours, qui m'a dit qu'il avait vu récemment un reportage à la télé où ils disaient que dans le cas d'enfants qui meurent à domicile, ils «mentent» toujours un peu et prétextent des tentatives de la dernière chance pour transférer les petits morts (ou mourants?) dans un hôpital, afin que les parents ne se retrouvent pas avec le petit cadavre sur les bras dans la chambre – leur épargner ça, un petit cadavre à la maison.

Donc, non merci madame, pas de visite à la chambre mortuaire. «Autre chose? – Non, tout est en ordre. Je vous rends sa carte Vitale, merci et encore bon courage.» Ta carte Vitale, mon chaton, la tienne à toi toute seule, reçue quelques mois avant dans la boîte aux lettres. À 16 ans, l'envoi est déclenché informatiquement, le *jeune* n'est plus sur la Sécu à môman, le *jeune* a son sésame pour une vie entière d'administré de la République. Inauguration de ta carte Vitale donc, première fois qu'elle sert. Premier et dernier usage. Ironie du sort, c'est comme ça qu'on dit.

Entre-temps, la dame nous avait vivement conseillé de «faire des devis pour les Pompes funèbres», nous indiquant un marchand là, juste en face, Roc-Eclerc, «ça vous donnera une idée», dit-elle.

*Montpellier – 30 janvier*

Mon petit chat, je suis toujours à Montpellier.

Je vais continuer, je te promets, à te raconter tout ça, les devis aux Pompes funèbres, tout ça ; tu verras, il y a même un moment comique – ça te fera plaisir.

Tu as le temps.

Moi aussi.

J'ai tout le reste de ma vie.

Moi le first day of the rest of my life, c'est le jour où t'es morte.

Mais avant de te raconter la suite (cependant il ne faut pas que je traîne parce que les images, les paroles vont s'en aller, se diluer, se modifier), je voudrais te dire deux, trois minuscules choses qui te mettent au présent, qui mettent ta mort au présent, puisque se souvenir durera toujours, qu'il faut que tu dures toujours.

Ce matin, j'ai entendu ce type dans une émission de radio podcastée, à cause d'une amie qui m'a envoyé le lien

– c'est fou comme ma boîte mail se remplit. Jamais eu autant de courrier avant ta mort. Il disait face au psy de service que, pppfff, rien à battre du travail de deuil, lui il appelle ça le devoir de fidélité. Ça m'a bien plu cette formule. Je te suis fidèle.

Ici à Montpellier – que tu connais, que tu adores, encore l'été dernier, tes vacances chez Lola –, quand je quitte l'hôtel pour aller en ville, je dois passer par une zone ultra-commerçante. C'est la pleine période des soldes, la ville est bourrée de jeunes, étudiants, lycéens, routards, et les filles en bandes chargées de paquets te ressemblent toutes : jeans, portables, embonpoint chips-Nutella, voix perchées... En revanche, leur porte-monnaie est plus gonflé que le tien. Ça c'est un premier supplice. Ces grappes de filles qui te ressemblent toutes.

L'autre supplice, c'est que sur ce trajet, que j'emprunte quasiment chaque jour, il y a de joyeux bénévoles d'Amnesty International, en bande eux aussi, usant de stratégies cocasses pour alpaguer le chaland, arborant fièrement malgré les déconvenues leur beau tee-shirt jaune. Amnesty International... Comme tu étais fière de déambuler dans leurs bureaux, à Colonel-Fabien, comme dans un autre chez-toi. Comme tu étais fière des rapports dithyrambiques qu'ils avaient rédigés sur toi après tes deux stages. Tu étais à fond sur la cause, mais rien ne t'aurait convaincue, à part la promesse d'un poste comme responsable de com à l'antenne londonienne, de faire ce job de minable : bénévole qui essaie de soutirer au bourgeois trois euros et une signature. Bref, l'autre jour, je me suis laissé aborder par une fille en tee-shirt jaune. Je lui ai dit : « Vous pouvez me parler, mais je vais vous envoyer un scud dans la gueule ». Elle a répondu, très fermée, très méchante : « J'ai pas de temps à perdre avec les gens désagréables », je lui ai dit qu'elle se méprenait, qu'elle me permette de finir, que je voulais juste lui dire un truc. Et je lui dis : « Ma fille de 16 ans est morte il y a un mois blabla elle était militante blabla vous me faites penser à elle, etc. » La nana n'a pas su recevoir la chose, on s'est embrouillées, c'était nul, t'aurais détesté… comme tu détestais quand je faisais des blagues à la con aux commerçants ou aux garçons de café.

Ça faisait un moment que je voulais le faire, mais du coup j'ai répondu à Gaëlle Grosset, tu sais (évidemment tu sais), la fille avec qui tu as fait tes stages à Amnesty. Elle nous a écrit une magnifique lettre. Tellement sonnée que tu ne sois plus là. Cette lettre est rangée dans la pochette bleue. Il y a quelques mots illisibles à cause des larmes qui ont dilué l'encre. Les siennes en rédigeant, les nôtres en lisant.

Je voulais aussi te raconter pour le plaisir, pour faire traîner, un autre détail qui t'aurait fait rire. Je suis allée à la gare changer mon billet pour le retour. Ça me paraissait insurmontable de prendre un train à 9 h 30. C'est beaucoup trop tôt. Ta maman est toute ralentie depuis que tu es morte, faire un bagage et un peu de ménage dans cet appart-hôtel de merde va me prendre un temps fou. Je voulais donc prendre le train d'après. Et le guichetier qui traitait ma demande a soudain levé les yeux sur moi avec un magnifique sourire : « Guerlain ? L'Heure Bleue ? Surtout n'en changez jamais, ça vous va vraiment bien. » Il avait reconnu mon parfum comme ça, à bout de nez. Tu m'en réclamais un pschitt sur une de tes fringues favorites quand tu partais en colo ou en vacances chez des copines.

Et puis la dernière chose que je voulais te raconter ce soir, avant de poursuivre le récit de ce dont je me souviens, et qui s'évapore déjà, le récit des heures qui ont suivi le moment où ton petit cœur s'est inexplicablement arrêté, c'est une anecdote de loge comme tu les aimais tant. Tout à l'heure, pendant l'acte II, j'ai vu Marion grimaçante et le sourcil froncé se passer un coton d'alcool sur les oreilles. Voilà, classique, le truc vraiment chiant, qui t'empoisonne la vie quand tu portes plusieurs jours d'affilée des boucles d'oreilles made in China : le lobe tout enflammé, et ça fait un mal de chien ; mais bien sûr c'est parfaitement inavouable parce que ce sont les maux de la coquetterie, des bobos de princesse, et que franchement, quand tu tiens ton rang, tu souffres en silence, tu causes pas de tes trous d'oreilles qui menacent de se reboucher tellement le pus les envahit. Et tu te souviens ? Tout dernièrement, il y a quelques semaines, tu étais toute fière parce que tu étais venue à bout toute seule en deux jours d'une de ces infections. J'avais racheté exprès de l'Hexomedine, à ta demande, tu y avais laissé tremper tes boucles toute une nuit dans une soucoupe et, comme Marion, tu avais bien pris soin de te badigeonner les oreilles tous les soirs à l'antiseptique.

Résultat, désormais tu savais faire toute seule pour ne pas souffrir et rester coquette. Une grande fille. Avec les bons gestes pour rester en vie, hérités de môman.

La première chose que j'ai évacuée de toi, c'est la salle de bains. Tous tes objets de bébé-femme. Le déo que je venais de te racheter chez Hema, tes serviettes hygiéniques (je les ai données à Françoise, pour ses filles Garance et Suzanne), ta brosse à dents (la brosse à cheveux, c'est papa qui l'a retrouvée plus tard dans ta chambre, j'ai crié en pleurant : « Jette ! jette ! »), tes crayons de khôl, tes petits fards à paupières, ta crème antiacné, ton peigne antipoux, ton shampoing antipellicules spécial cheveux secs ; j'ai gardé le mascara. Le tube doré. Pour la pince à épiler j'ai hésité. Tu ne savais pas t'en servir. C'est quand même drôle, ce tic que tu avais de t'épiler les sourcils avec les doigts à tout instant, devant la télé, devant l'ordi, au téléphone… Tu t'arrachais compulsivement les sourcils comme d'autres enroulent glamoureusement des mèches de cheveux autour de leurs doigts, ma Lolita. Tu avais des yeux magnifiques, mais des sourcils foireux. T'étais comme chauve, ou épouillée des sourcils.

C'est papa qui m'a aidée à faire cette poubelle. La première poubelle. La terrible poubelle.

Il a même dit à son vieux copain Jean-Matthieu, réapparu avec ta disparition : « Tu sais c'est des filles… »

Comme s'il y avait un grand mystère des filles. Des filles avec leur mère. Les mères et les filles. Le secret des harems et des gynécées. L'impénétrable complicité. Quelle blague ! Grosse paresse pleine de testostérone. Épais bandeau sur les yeux comme une serviette hygiénique qui absorberait leur trouble tous les vingt-huit jours, pour faire semblant de ne pas comprendre, ne pas perdre la face, pour présenter viril, pour ne pas suinter le sentimentalisme, l'attendrissement devant le sexe opposé, maladie honteuse. On leur a appris ça.

Je sais que papa aujourd'hui a passé un long moment dans ta chambre. Tout seul, à trier ton courrier. À pleurer. À lire ce que tu as écrit, poèmes, chansons. Pour d'autres, il y a longtemps, et qui ne nous étaient pas destinés. Je l'ai appelé au téléphone tout à l'heure, il était en train de faire ça, et il pleurait. J'ai envie de rentrer. D'aller au cimetière. D'être aussi dans ta chambre. Avec ton papa. Parce que c'est le seul qui te connaisse autant que moi, le seul avec qui je peux parler de toi sans rien dire.

Je continue.

*Mardi 24 décembre – suite*

Donc en ce jour de tempête, par ce froid glacial et ce vent dément et cette pluie solide (dans *Pompée* encore, sa mort provoque un tel choc que des superstitions se déclarent quand surgit un orage : *et chacun se figure/un désordre soudain de toute la Nature*), nous sortons de l'hôpital Bichat après l'accomplissement des sordides contraintes administratives. Comme la dame nous l'avait recommandé, nous traversons le boulevard, un de ces boulevards répugnants que le périphérique semble vomir pour entrer dans le nord-est de Paris, et nous nous rendons chez Roc-Eclerc-Pompes funèbres pour faire établir un premier devis. Le type qui nous a reçus était une caricature de croque-mort, sorti tout droit des *Triplettes de Belleville*, ce film qui t'a fait si peur quand tu étais petite : nez crochu, costume douteux, épaules couvertes de pellicules, obséquiosité de circonstances, teint cireux. Il tenait son stylo comme un enfant du fond de la classe, entre le majeur et l'annulaire, et sur le papier la mine traçait ton nom, le nom du défunt, comme une limace serpente entre des feuilles moisies. Tout était compliqué, infaisable, il fallait réunir les gens dans une salle aux Batignolles (imagine tout ton lycée de Montreuil qui se tape trois quarts d'heure de métro pour venir te dire au revoir...), les délais menaçaient de ne pas être respectés à cause de l'autopsie, le cas d'une mineure posait problème, il fallait une autorisation spéciale de la préfecture pour te ramener d'ici à là – pas d'ici-bas à ici, bien sûr, très drôle... Il y avait bien un collègue plus jeune qui essayait d'intervenir, d'accélérer et de simplifier les choses, mais Gueule de Mort persistait, son visage s'allongeait de plus en plus, son teint virait hépatique, l'imprimante ne marchait pas, c'était l'heure du déjeuner, il avait des remontées acides et on finissait par pouffer sous cape en roulant de gros yeux... 4000 euros, signez ici – merci, au revoir, monsieur.

On est rentrés à Montreuil, pluie, vent. Cette fois c'est sûr c'est papa qui conduisait pour que je puisse passer des coups de téléphone. J'ai appelé le Dr M. C'est lui qui décroche : «Alors? Comment va la malade?» sur un ton enjoué. Moi : «Ben, elle est morte, docteur.» Blanc. Long silence. «C'est pas vrai? – Ben si, docteur.» Je raccroche. Depuis, tu sais, ce bon docteur M., ton médecin traitant, pas un mot, pas un coup de fil, pas une fleur. Rien. Rien du tout.

On est arrivés à la maison. C'était l'heure de midi. Je pense que c'est à partir de là que s'est enclenché un mouvement hyperactif, une hystérie des choses-à-faire, une occupation maniaque du temps, un remplissage de chaque seconde pour ne pas sombrer, pour ne pas mourir comme toi.
On a passé un ou deux coups de fil administratifs, c'est le 24 décembre, impossible de joindre la banque et la mutuelle. Les bureaux ferment à midi. On a regardé dans les pages jaunes les services de Pompes funèbres de la Ville de Montreuil, repéré trois adresses dans le quartier qu'on s'est promis de visiter dans l'après-midi. Nous nous sommes assurés une dernière fois que nous étions bien d'accord tous les trois pour une tombe. Pas d'incinération, on est d'accord? C'est étonnant d'ailleurs comme ça nous est apparu évident très vite. Oui, il fallait que tu aies ta petite tombe à toi toute seule, dans le cimetière de ta ville, que nous pourrions fleurir, visiter, chérir et partager avec ceux qui t'aiment. Non, pas d'urne, malgré la tradition pour nos autres morts chéris. Les cendres de nos parents, à Tantine et à moi, sont dispersées au sommet d'un ballon des Vosges. Nous n'y allons jamais. Mais pour toi, il fallait le lieu, la trace, le symbole, ton nom gravé, une sépulture.
Delphine a dû nous forcer à avaler quelque chose. Ce frigo plein des victuailles de Noël, beurk. Et puis on a repris la voiture qu'on a garée le long du cimetière

pour aller chez Rébillon. Les entreprises de Pompes funèbres sont toujours près des hôpitaux ou des cimetières, je n'avais jamais remarqué. Là c'était un autre genre et on rigolait plus du tout. Si ça se trouve, tu situes très bien cette boutique, pas impossible que tu sois passée devant à plusieurs reprises, quand tu montais au lycée par ton «itinéraire bis», ou plus probablement quand tu en redescendais pour raccompagner des amis par l'avenue Jean-Moulin. Fleurs en plastique mal dépoussiérées du sol au plafond, plaques de marbre, ex-voto en quantité industrielle : *à mon pépé, à mon tonton, à mon mari, à ma cousine, le quartier reconnaissant, à mon vieux copain, bon voyage Gégé, tes amis du foot*... Des photos de mamies idéales mortes au bon moment tapissaient les murs : sourire bienveillant, collier de perles, cheveux cendrés en coupe courte facile d'entretien. Des photos de la flotte de corbillards aussi, harmonieusement disposés sur un gazon parfait, voyez comme ils sont beaux, mes camions. Une dame pudique sans âge ni couleur, avec les yeux rougis comme si elle avait pleuré à tous les enterrements de sa boîte, nous fait asseoir et prend des notes consciencieusement. On va plus vite, on commence à connaître les options, le vocabulaire : une place ou deux places? pleine terre ou caveau? semelle en béton ou en marbre? location du funérarium, d'un maître de cérémonie, des véhicules, transfert de La Pitié-Salpêtrière où tu seras autopsiée le jeudi matin etc., etc. À un moment, je me

rends compte que la douce dame très professionnelle ne s'est toujours pas enquise de la nature du défunt... Homme? Femme? Tata? Maman? Frangin? Caniche? Donc je lui lâche le truc : vous savez, c'est notre fille, madame, elle avait 16 ans. La dame relève à peine l'information, toujours très pudique, replonge dans son devis et continue à poser ses questions dans l'ordre inscrit sur le document. Cette histoire d'autopsie et de délai semble coincer encore un peu... 4000 euros signez ici – merci, au revoir, madame.
On descend la rue, on avait repéré une deuxième adresse quelques numéros plus loin sur le même trottoir. On avise la boutique. On ne pousse même pas la porte. Pauvre éclairage sinistre au néon, personne derrière le bureau; une femme passe la serpillière comme s'il était 5 heures du matin après une grosse bringue dans une salle des fêtes municipale. Toujours le vent et la pluie.

On descend encore jusqu'à la mairie pour trouver la troisième boutique, par l'avenue Walvein, celle-là, c'est sûr, tu l'as empruntée la semaine dernière, on est dans tes pas de tous les jours et ça donne un vertige qui troue. Cette troisième boutique, c'était la bonne, chaton. On a été reçus par Sandrine, et puis c'est le boss qui a pris le dossier en charge. Emmanuel il s'appelle, Manu pour les intimes. Manu et toi, oui, êtes devenus intimes. Aujourd'hui encore, je lui fais coucou à travers la vitre de sa petite entreprise quand je passe près de la mairie; pas besoin de te le décrire, tu le connais, il s'est tellement bien occupé de toi. Le bureau est clair, neutre, la campagne de pub pour la filiale affichée au mur est sobre, digne, simple, il n'y a aucun gadget de cimetière exposé, on pourrait tout aussi bien être dans une agence immobilière, ou dans un cabinet d'assurance. Moi ça m'a convenu tout de suite, et quand à un moment Sandrine a levé son stylo avec un air pensif pour laisser échapper : «Ah... 16 ans... lycéenne... il va y avoir du monde...», je me suis dit : «Enfin en voilà une qui a compris!» Elle est sortie un moment appeler son patron, Manu donc, et soudain, comme par magie, tout était possible : l'autopsie ne causait plus de problème; ces histoires de transfert avant quarante-huit heures ne concernent que les corps sans cercueil, et toi tu étais si nue, mon enfant, et toi tu étais dans les délais, et toi tu pouvais après rester là-bas à La Salpêtrière autant qu'on voulait même sans cercueil, bien au chaud dans ta chambre froide, et on est passés de 4000 à 2600 euros! Il donnait des coups de fil, tutoyait les gens, débloquait toutes les situations qui nous paraissaient dans l'impasse – dis-moi Georges, le funé jeudi 2 dans l'aprèm, il est libre? – dis-moi Raymond, la tapissière, elle est dispo? (la «tapissière» chaton, c'est le véhicule qui est réservé aux seules fleurs. Il avait compris que tu en serais recouverte, submergée, illuminée. Tu vois, j'ai appris plein de choses, plein de mots). À un moment, comme Sandrine, il a relevé son stylo et nous a dit, curieux, normalement curieux, sainement curieux (papa a dit commercialement curieux...) : «Mais qu'est-ce qu'elle nous a fait, votre petite Camille?» Par la suite il ne t'a plus jamais appelée autrement que «la petite puce». Il était 16 heures, par là, le lendemain de ta mort, pas même vingt-quatre heures d'écoulées, il n'y avait pas d'autres clients, le jour tombait, et jusqu'à la fermeture on s'est mis à bâtir le brouillon de la cérémonie. On n'était même pas encore sûrs de vouloir faire une cérémonie. P'tite puce...

*À la maison – lundi 3 février*

Je suis rentrée à Montreuil, chaton. Depuis hier. Je n'ai qu'une envie, c'est d'être avec papa et de continuer à écrire ce texte. D'être avec toi, donc. Écrire, c'est te prolonger.

C'est déjà tout parasité, tout brouillé par les obligations du quotidien que je me vois accomplir comme un automate. Faut travailler, reprendre mes ateliers – supermarchés, métro, garagiste, gynéco.

Hier, dimanche, on est montés au cimetière. Troisième visite depuis que tu y *requiescat in pace.*

Tout y est presque encore comme le jour de la cérémonie. Les fleurs ont délavé, mais il y en a encore beaucoup qui tiennent. On voit davantage la terre, noire et caillouteuse, infertile et utilitaire, remblayeuse, mais c'est encore joli : une tombe fraîche comme on dit. En redescendant, on s'est fait klaxonner : c'étaient les parents de Clara et Sylvie B. qui y montaient en voiture, le coffre chargé de narcisses, de jonquilles et de pensées. Ils nous ont dit qu'ils allaient tout planter dans cette mauvaise terre, que ça tiendrait le temps que ça tiendrait, mais qu'en attendant ce serait vraiment mignon. Ton papa et moi irons voir ça, la déco toute neuve, très prochainement, promis. Des pensées, des jonquilles et des narcisses. Mais en fait qu'est-ce que tu en as à foutre ?

Pourquoi t'es partie, mon chaton ? À quelle horreur future t'es-tu soustraite ?

Quand je vois ce qui attend ce monde de merde, entre trahison politique, catastrophe écologique et pauvreté de masse, je me dis que oui, on peut se dire que tu as été bien inspirée de quitter le navire ; mais quand je vois n'importe quel soleil sur n'importe quel pétale, ou n'importe quel gars qui tient la main de n'importe quelle fille, je me dis que non, franchement, fallait rester dans la vie.

Ce matin, j'ai entendu tes petits pas trotter dans la maison, quand tu mettais tes talons les jours sans pluie pour aller au lycée. Clac clac, tu marchais tout doucement pour pas nous réveiller et évidemment ça me réveillait, et je me disais toujours, de dessous la couette : « Bon sang, maintenant oui, j'ai une grande fille qui se réveille toute seule, qui fait son petit déjeuner toute seule, qui met des talons et qui a ses clés au fond de son sac où sont aussi plein de secrets. »

Je reprends.

*Toujours le mardi 24 décembre*

En rentrant des Pompes funèbres, de chez Manu donc, c'est le début de la nuit de Noël. On a tout de suite rallumé la bougie mauve, ta bougie, qui maintenant s'appelle Clochette, tu vas comprendre bientôt pourquoi, perchée sur le petit livre aux étoiles. On a ouvert des bouteilles (on a beaucoup bu, tu sais, dans les premiers jours !), Delphine a dû s'occuper de sortir des choses comestibles du frigo susceptibles de nous nourrir un peu, à la bouchée, pour déposer dans l'organisme les quelques calories qui devaient nous permettre de ne pas mourir tout de suite – mais comment c'est possible, bordel, qu'on ne soit pas morts tout de suite ? – et on s'est mis à améliorer le brouillon de la cérémonie, chercher des musiques, trouver des textes. C'était un moment très fou, ce réveillon dans ta disparition. Le monde entier s'échangeait des cadeaux et mangeait des bonnes choses dans des promesses de réconciliations familiales et de paix retrouvée.

Nous, dans la lumière de notre sapin très beau, très scintillant, très vaillant de verdure et de guirlandes, nous préparions le show pour notre enfant morte. Agglutinés derrière l'ordi, on faisait défiler toutes les chansons, toutes les musiques que tu aimais; et on se foudroyait le cœur, et on rouvrait une bouteille, et on chantait faux entre les sanglots, et on se prenait dans les bras, et on passait à la suivante, et on la coupait parce que c'était trop dur, et nos corps se pliaient en une danse atroce, moitié dans la musique, moitié dans l'effondrement. À 22 heures on était très soûls, et on avait fini par lister : 1) ton poème de quand t'avais 12 ans, celui de la petite fille dans la clairière; 2) un extrait des *Demoiselles de Rochefort*, bien sûr; et 3) «On my Own», que Tantine voulait absolument parce qu'elle l'adore et que tu l'avais chantée à ton dernier concert avec ta prof de chant. Elle a préféré partir tôt, Tantine, elle était crevée et elle avait besoin d'être seule, de nous laisser seuls.
Alors on est restés seuls. Deuxième nuit. C'est celle où Françoise, la voisine, m'a envoyé un texto le lendemain matin, disant qu'elle avait entendu ma plainte toute la nuit. C'est celle où on s'est engueulés avec papa comme ça ne se reproduira plus jamais jamais jamais j'le jure. Chacun cherchait à faire la démonstration auprès de l'autre de la suprématie de sa propre douleur : moi avec les images de ton agonie, si présentes encore, si traumatisantes, répétant à papa : «Et ce petit rictus là, horrible, ineffaçable, toi tu ne

l'as pas vu...», lui, parlant du malheur du malheur du malheur qui encore une fois le frappe, moi surenchérissant : «Oui, mais toi t'as pas trouvé le cadavre de ta mère violée et assassinée à coups de couteau quand t'avais 20 ans!», lui : «Oui, mais toi t'as pas...». Bon, tu sais, il n'aime pas qu'on en parle. Épouvantable compétition. Chamaillerie désespérée. Affreuses ruses pour ne pas laisser entrer dans notre être la réalité de ta mort. Réflexes mesquins de séparation, d'adversité, de coupure; comme si nous livrer à ces petites guerres allait nous tenir hors de la grande tragédie. On se volait dans les plumes comme des vautours autour de ton cadavre – charcuterie, barbarie. On s'agitait dans un cyclone de haine pour faire digue contre l'effroi qui noyait nos vies à la vitesse d'un raz-de-marée. Et puis j'ai senti qu'il valait mieux céder, se laisser entièrement dévaster. Surtout, je crois, j'ai eu le sentiment qu'on était en train de t'insulter, que nous aboyer dessus dans un centième bocal de haine atomique, comme tu les détestais tellement, était une salissure pour le début de ta demeurance, de ton outre-vie; que se broyer à plaisir te rendait soluble dans les débris du couple. La vie assassinée, oui, mais pas la vie dégradée par notre propre laideur. Alors on s'est regardés. Très loin au fond des yeux de l'autre on t'a enfin vue passer, ange, colombe. Le vrai ravage c'est toi, toi qui n'es plus là. Trois c'est 2 + 1, maintenant c'est 2 – 1. Tu butinais de l'un à l'autre, tu faisais la valeur d'équilibre, le fléau de la balance. Maintenant c'est le fléau tout court, et c'est le vide qui doit faire l'équilibre. Je crois qu'à ce moment-là, secrètement, silencieusement, assis sur nos tabourets de cuisine, on s'est juré de ne plus jamais s'entre-dévorer comme ça.

Et c'est cette nuit-là, vigoureusement, répétitivement, assise sur mon tabouret de cuisine, que je me suis tapé la tête contre le mur. Je l'ai compris le lendemain parce que j'avais cette arcade si douloureuse. C'est cette nuit-là, une nouvelle fois, que de mon corps sont sortis des sons que je ne connaissais pas. J'ai dû réveiller tout le quartier. Ça m'a fait peur. Tu aurais trouvé que j'en faisais trop, que j'étais théâtrale, toi qui t'étais si bien tenue pendant ces quatre jours où, pourtant, tu aurais bien eu le droit de pleurnicher. Ta maman était là, dans la cuisine d'un trois-pièces du 9-3, à se lamenter, archaïque pleureuse d'antiques civilisations. Oh, mon chaton, quelle horreur. Encore aujourd'hui, tu sais, je cherche des coins isolés où je puisse hurler ma douleur, ton absence. Des plaines, des clairières.

Voilà, fin du mardi. Fin du réveillon. Encore un sommeil comme un coma.

*À la maison – mercredi 5 février*

Dans le temps, les gens portaient un brassard ou des habits noirs pour signaler qu'ils venaient de perdre un proche. Ça les plaçait momentanément hors de la communauté des humains, ça forçait la distance, la délicatesse ; ça offrait le privilège de ne pas être tenu de se comporter comme tout le monde, de ne pas être mal considéré si on était plus lent, plus sombre, plus solitaire, plus réservé. On était repéré comme endeuillé, et les autres nous foutaient la paix. On avait le droit d'occuper une marge. Aujourd'hui cette coutume a disparu. Je ne le regrette pas, là n'est pas la question ; mais j'éprouve, et papa aussi, ce sentiment de dissidence, d'étrangeté, de non-participation. Papa dit que ta mort ne fait pas de nous des héros, mais des originaux. J'en étais déjà une. Tes copines disaient que j'étais une originale. J'ai l'impression que ceux qui savent me parlent avec toutes sortes d'étranges égards, une autre voix, d'autres mots – et que ceux qui ne savent pas me regardent comme un zombie. Faut dire que ta maman a une sale tronche : poches, rides, cernes, le cheveu terne, kilos en moins, tous les plis vers le bas, et la démarche d'une très très vieille dame. J'ai vieilli. J'ai pris seize ans, tes seize ans, mon envolée. Papa, lui, ne marque pas, comme tu sais. Il est toujours aussi beau.

Une autre chose : nous n'avons pas de nom. Nous ne sommes ni veufs ni orphelins. Il n'existe pas de mot pour désigner celui ou celle qui a perdu son enfant. Je viens de faire un tour sur Internet : pas d'occurrence dans le dictionnaire, ailleurs on propose des suggestions toutes aussi farfelues les unes que les autres… Un papa répond sur un forum : « Si, j'ai un nom : je suis un mort vivant. »

Je continue.

*Mercredi le 25 décembre*
Jour de Noël. Quarante-huit heures après la fin de ta vie.
Je me suis levée tôt. Ou plutôt j'ai mis fin à cette absurde station allongée, à ce sommeil de torture, à ce cauchemar permanent derrière mes paupières faussement closes, avec une idée fixe : ne pas laisser pourrir dans le frigo les victuailles qu'on avait achetées pour Noël. Tu te souviens que Vera était prévue pour le déjeuner. Vera, comme nous : orpheline, sans famille; et bizarrement je n'ai pas décommandé. Alors il fallait faire à manger. Je ne crois pas, mon chaton, que tu te souviennes du menu qu'on avait concocté avec papa et Tantine. Je crois que tu étais déjà trop fatiguée pour te préoccuper de ça, que tu t'en foutais complètement; et puis de toute façon tu savais que passé les chips et l'apéro, plus rien ne te ferait plaisir, que ce serait trop sophistiqué, et que vraiment tu ne comprenais pas pourquoi on s'évertuait à mettre

sur pied des plats rien que pour nous, sales égoïstes, sans tenir compte de tes goûts, qui, je te le rappelle, pardon, mon chaton, étaient quand même limités à l'absorption de pâtes, de pizzas, de tartines de chèvre chaud et de bouillon Kub où baignait du vermicelle. Mais moi ce matin-là, le surlendemain de ta mort, je me suis lancée dans la confection d'un tagine de cailles aux amandes et à l'orange, dans la cuisson de deux saucissons de Lyon sur un lit de chou vert et d'oignons rouges, et dans la marinade de crevettes au citron vert, curry et coriandre. Comme le beurre d'escargot n'était pas prêt parce que tu es morte à l'heure où il devait tranquillement reposer, j'ai fait l'impasse sur la pâte à choux. Il y avait tout un projet de garniture de petits choux, j'avais même acheté une douille, on les aurait garnis de toutes sortes de choses, notamment avec des escargots flottant dans leur beurre d'ail. Mais je suis sûre que tu aurais été surprise et que tu aurais sans doute engouffré une ou deux bouchées sans avouer que c'était délicieux. Une nouvelle «mauvaise pensée» m'a assailli l'esprit : je me suis réjouie que nous n'ayons jamais partagé le plaisir de cuisiner. Parce que, tu vois, la cuisine n'est pas infestée de souvenirs insupportables. Je ne t'y ai jamais vue rater une pâte à crêpes, y éplucher des légumes, lire une recette, enfiler une manique pour mettre un plat au four, pas même y faire une vaisselle. Ou si peu. Ou si rarement. Assez peu en tout cas pour que je puisse en conserver le royaume sans m'y

effondrer. Sans que j'inonde de larmes une cuillère en bois ou un verre doseur. C'est ça les «mauvaises pensées». Tu verras, il y en a d'autres, elles participent à la dévastation de ta mort sans aucun filtre de pudeur, avec aplomb, avec cynisme – toutes ces pensées en embuscade qui escortent l'avancée de la charogne.
J'ai aussi fait un peu de ménage, changé la nappe et, bien sûr, rallumé ta bougie, ma vaillante, ma flamme qui te dure.
Tantine est arrivée. Elle nous a raconté qu'hier soir, sur le périphérique désert, elle a senti à l'intérieur d'elle comme des vis et des boulons et des chevilles et des roues dentées qui moulinaient dans tout son être pour l'organiser vers la paix, vers la vie, vers la réconciliation. Elle s'étonne encore ce matin de l'étrange sérénité qui l'a inondée toute seule dans sa 207 alors que tu venais de te faire dévorer par un truc tueur et qui n'a toujours pas de nom. On attendait Vera, qui ne venait pas, temps mort, temps mortel; Tantine s'est mise à la fenêtre pour pleurer, et puis soudain elle nous a appelés – «Venez voir!», tout doucement, comme quand on a peur de déranger un animal sauvage, par exemple une biche sur une lisière. Alors on s'est approchés, et parcourant l'ensemble de la vue depuis la fenêtre, de jardin à cour, on a vu un superbe arc-en-ciel, immense, parfaitement dessiné, qui prenait sa source au cimetière, à gauche en se penchant un peu, tu vois bien. C'était fou. Tu nous faisais coucou. Au même moment, les Zlatoff depuis leur

campagne nous envoyaient par mail la photo d'un bouquet de roses de Noël tapies dans le jardin, entre une bougie et des herbes folles, qu'ils avaient composé pour toi. Toutes ces «illustrations» de l'onde de choc qu'a provoquée ta mort dans notre entourage (photos, poèmes, condoléances...) sont rangées dans le dossier sur le bureau de l'ordi qui s'appelle «FEUE CAMILLE», à côté de celui qui s'appelle «CAMILLE», créé de ton vivant, où tu rangeais tes chansons. Tu sais comme je suis organisée.
Vera est enfin arrivée. Apéro, champagne (eh oui), discussion, de choses et d'autres (eh oui), alimentation obligatoire, becquées maladives (j'ai congelé une partie, jeté une autre), et puis juste avant que se ferme le sarcophage de béton où nous fige régulièrement la douleur, quand nous restons prostrés des heures dans un silence immobile, Vera a proposé une marche, une promenade, une aération. Je ne sais plus comment nous avons dit oui, comment nous avons mis les manteaux, les bonnets, les gants, les écharpes, les bonnes chaussures. Mais nous sommes partis pour les Beaumonts. Là, tu connais aussi. La balade hygiénique du dimanche que tu détestais, sauf pour y promener le chien Jiota, ou pique-niquer avec tes potes. Et encore. Le temps était apaisé, l'arc-en-ciel avait laissé un jour délavé, pâle, fragile. Nous marchions tous les quatre par paires interchangeables, tantôt Delphine et Vera, tantôt Vera et moi, tantôt papa et Vera, flanc contre flanc, bras dessus, bras

dessous, en silence, en larmes ou en babil facile. En bas des Beaumonts, il y a le cimetière. C'était sur la route. On y est allés aussi. En repérage en quelque sorte. C'était Noël. C'est là qu'on a choisi, entre les deux cimetières que sépare la grande avenue, si tu serais dans l'ancien ou dans le nouveau. On a réveillé le gardien de sa torpeur frileuse pour lui demander des renseignements sur les concessions. On a aussi vu les «marguerites», des tombes carrées disposées en pétales, où l'on enterre des urnes. J'ai trouvé ça joli. Je ne savais pas qu'on pouvait enterrer des urnes. Je pensais que les cendres étaient forcément ou bien dispersées, ou bien alors rangées dans les cases d'un colombarium. Ces tombes carrées, qui ne disent rien de la place des pieds ou de la tête, qui ne copient pas le squelette à venir, mais qui font quand même aussi se courber les vivants vers la terre, m'ont séduite. Mais bon, on avait décidé entre-temps : tu aurais ta petite tombe, à ta taille, dans les rangées d'un cimetière, une place pour toi toute seule. Jacinthes, narcisses, pensées... et aussi, myosotis et kalanchoé... À quel stade de décomposition es-tu maintenant? Un mois et demi après.

*À la maison – jeudi 6 février*

Il y a six jeudis, mon chaton, tu étais autopsiée dans le laboratoire de La Pitié-Salpêtrière. Nous allons en profiter pour faire un petit point scientifique. Les résultats de l'autopsie dite « macroscopique » nous ont été fournis il y a deux semaines déjà. Mon cœur battait à se rompre quand j'ai reconnu le numéro du bon professeur Bathelier sur l'écran de mon portable. Alors, docteur ? Il nous a dit qu'à la lecture du compte rendu qu'il venait de recevoir, les premières hypothèses envisagées (malformation cardiaque, myocardite) étaient écartées. Qu'il fallait maintenant attendre les résultats que la mise en culture des prélèvements cellulaires et tissulaires effectués sur ton cœur et ton cerveau allait mettre au jour. C'est ce qu'on appelle l'autopsie microscopique. Il faut patienter encore deux bonnes semaines. Ah… Merci, docteur… Nous sommes restés sans voix.

Ton papa a beaucoup de mal à vivre avec l'idée qu'aucune explication ne nous sera jamais donnée, qu'une énigme quasi surnaturelle, ouvrant des gouffres pour nos consciences, présidera à ta disparition. Il faut percer le mystère, explorer toutes les pistes.

Alors aujourd'hui, sur un coup de tête, pour être sûre qu'ils n'oublieraient rien, j'ai rappelé directement le service des autopsies de La Pitié, sans passer par Bathelier. J'ai le numéro dans mon petit carnet – tu sais comme je suis organisée. Nous voulions nous assurer qu'ils faisaient systématiquement une recherche sur les maladies tropicales, parce que nous nous sommes souvenus qu'on avait oublié de mentionner que tu étais allée en Tunisie l'été dernier d'une part, et que, d'autre part, tu avais été largement en contact avec Tantine qui revenait de Nouvelle-Calédonie. On m'a tout de suite passé le chef de service, un certain Dr Duyckaerts, un type aimable et compatissant, très délicat et bien emmerdé. À ma question il a tout de suite précisé que la présence d'un parasite aurait immanquablement été décelée. Il a aussi confirmé les conclusions de la première étude : pas de malformation cardiaque et pas de myocardite. En revanche, il nous a fourni des éléments qui nous plongent dans une énorme perplexité : tu serais morte d'un infarctus rénal… Tu te rends compte ? Un infarctus rénal… Il dit : occlusions vasculaires avec présence d'un amas de germes, sur le cœur, sur les muscles et sur les reins. Ça veut dire des bactéries, dont il ignore si elles sont pré ou post mortem. L'infarctus rénal et la présence de bactéries semblent être deux choses à dissocier… Une visite sur Internet nous apprend que tu nous as joué un tour vraiment pas banal parce qu'on parle de 0,007 % d'occurrence, d'un diagnostic difficile à prononcer, voire impossible, souvent trop tard, sans possibilité de soins, etc. Seules des douleurs abdominales prononcées peuvent mettre sur la piste, ou alors la présence de sang dans les urines, mais ce n'était pas le cas, tu sais bien. Je me souviens seulement qu'à peine un quart d'heure avant que tout parte en cacahuète, tu avais la sensation que tu faisais pipi sous toi. Infarctus rénal... Mais c'est surtout cette histoire de bactéries qui nous énerve parce que qui dit bactéries dit antibiotiques. Qui dit antibiotiques dit stoppage d'une infection. Ça suppose que tu aurais pu être sauvée. Ça suppose qu'on n'a pas été assez insistants avec les médecins, qu'on aurait dû exiger une prise de sang, qu'on aurait dû se fier à nos pressentiments. La fièvre immense qui s'est emparée de toi aurait pu guider un bon médecin. Ou pas. Ou pas. Comme une image subliminale tremble un instant devant mes yeux, dans un noir et blanc de vieux feuilleton télé, la feuille d'ordonnance de Doliprane du dimanche soir aux urgences. Au téléphone Dr Duyckaerts a dit cette phrase : Il n'y aura pas de fin mot. De toute façon je n'éprouve aucun désir ni nécessité d'attaquer quoi que ce soit : ni Dieu, ni le destin, ni la médecine. De toute façon je n'éprouve aucun désir. Dans deux ou trois semaines, on aura un entretien avec l'un ou l'autre des savants professeurs qui cherchent à faire la lumière scientifique sur ta mort. Je te raconterai. Ton cœur, ton cerveau, ma chérie, dans des bocaux de formol. Loin des pensées, jacinthes, narcisses.

Mais reprenons le récit des heures livides.

*Mercredi 25 décembre – suite*

Vera, papa, Tantine et moi avons circulé entre tombes et pétales de marguerites au point de nous laisser surprendre par le temps. La cloche du cimetière a sonné – en hiver ça ferme à 17 heures. C'était drôle, cette cloche comme une église de village, comme l'appel d'un réfectoire. On a laissé Vera devant chez nous, elle avait un autre rendez-vous dans le quartier, et on était attendus chez les Marcou, les parents de ta grande copine Clara, pour passer la soirée. Les heures intermédiaires où nous sommes restés seuls dans l'appartement, papa et moi, sont confuses.

Sans doute avons-nous ouvert une bouteille et téléphoné à la chaîne pour annoncer la nouvelle. Nous avions fait assez de rétention pour éviter de polluer le réveillon des amis. Mais maintenant, on ne pouvait plus garder ça pour nous. «Allô? Salut, ça va? Vous avez fait un beau réveillon?» Et nous on disait : «Camille est morte avant-hier.» Le blanc au bout du fil, et puis souvent les pleurs, les cris, les notes hautes de la stupéfaction et de l'incrédulité qui nous obligeaient à tenir éloigné de notre oreille le combiné. Chaque appel nous démolissait, mais il fallait dire. Quarante-huit heures déjà que tu étais morte; et la terre qui continuait de tourner toute hérissée de sapins enguirlandés…

Parfois aussi, quand nous étions tous les deux tous seuls dans l'appartement, papa passait de longs quarts d'heure dans ton téléphone ou ton ordi; il découvrait les textos, les messages et les appels que tes copains envoyaient à quelqu'un qui n'existe plus. L'effet était bouleversant, tu t'en doutes. Celui-ci, qu'il m'a fait écouter : «Allô, Camille? Il paraît que tu es morte! Mais en fait il paraît que c'est une blague, que t'es juste malade… J'ai jamais été aussi heureux d'apprendre que quelqu'un était malade!» Un garçon. Un Arthur, je crois. Et puis surtout nous avons découvert les derniers textos que tu as envoyés à tes copains de ton vivant : «Je vais mourir, putain», – «Je suis en train de crever.» Voilà. Tu as écrit ça. Comme si tu savais. Mais bien sûr tu ne savais pas. Voilà comment le temps bégayait de douleur quand il nous parachutait dans les grumeaux de ton évaporation.

Et puis, par désœuvrement, nous avons allumé la télé en attendant de se rendre chez les Marcou. On était tellement épuisés qu'on a fait ça : se tanker devant la télé, 18 heures, programmes de Noël. C'était *Cléopâtre*, le péplum de Mankiewicz avec Elizabeth

Taylor. C'était drôle et déchirant parce que la dernière fois que tu m'as vue sur scène, j'avais deux scènes avec Cléopâtre, la même, l'Égyptienne qui rend fous tous les hommes. T'aurais adoré, t'aurais regardé avec nous en mangeant des biscuits industriels, et surtout pas les bräedele faits maison pour Noël.
Plus tard chez les Marcou, dans le jardin où j'allais souvent fumer (après minuit ils ont autorisé la cigarette à l'intérieur... – tu te rends compte?!), il y avait un grand sac dans lequel étaient fourrés tous les emballages des cadeaux offerts la veille au réveillon, avec le bolduc qui dépassait en torsades cruelles, et la jeune chatte que tu as si peu connue qui éventrait tout ça comme une folle. Toi, tes cadeaux étaient encore emballés. Ne seraient jamais ouverts. Oh, pas grand-chose, un Noël de vaches maigres : un soutien-gorge, un tube de ta crème colorante pour les cheveux, une paire de boucles d'oreilles, deux collants et des livres : *1984* d'Orwell, une connerie sur les amours à la cour de Louis XIV et un précis de mythologie grecque. Je les avais pris avec moi ce soir-là pour les offrir, pour les léguer à Clara. Tant pis pour la digression, mais il faut que je te raconte comment ta Clara a appris ta mort. Tu sais que tous les 24 décembre, vous vous appelez en fin de soirée – Alors? T'as eu quoi comme cadeau? C'était comment ton réveillon? etc. Immanquablement, elle a appelé hier soir vers 23 heures : «Allô, Sophie? C'est Clara. Tu peux me passer Camille?» Moi : «Ben non...» Elle : «Arrête de déconner, passe-la-moi!» Et

je ne peux rien ajouter. Jean-Luc me fait signe : «Je prends l'appel.» Alors je lui passe le téléphone, et il lui dit en sanglotant : «Camille est morte, Clara...» C'était un moment épouvantable. Un moment d'épouvante. Pour tout le monde. Olivier et Babette, les parents, hurlaient sans retenue dans le téléphone. À se demander comment une telle annonce ne foudroie pas sur place et immédiatement ceux qui la font et ceux qui la reçoivent. Voilà, c'est comme ça que ta Clara a appris ta mort. Elle a accepté les livres sans un mot, et la soirée s'est engagée. Beaucoup de boîtes de mouchoirs, un excellent saumon fumé, des toasts de foie gras... Toujours cette incongruité des frigos pleins, de l'opulence, des très bonnes choses. Étrangement, ce sont les garçons qui pleuraient le plus. Olivier avait les yeux si rouges que ça faisait ressortir le bleu de ses pupilles et la blancheur de ses cheveux. Noé, le petit frère de Clara, était tout plissé de grimaces et de morve. Cette soirée allait inaugurer une longue suite de moments semblables, dans le partage de la douleur et la construction du récit. Des formules se sont mises en place pour «résumer» ta maladie, ces quatre jours, ces quatre tout petits jours, fournir des détails sur les dernières heures, écarter la haine spontanée qui se dessinait à l'encontre du monde médical, répondre aux questions sur le choix de l'enterrement plutôt que l'incinération, le déroulé de la cérémonie, nos possibilités de survie. Un discours s'est formaté dans une suite de phrases simples, techniques, que

nous allions pouvoir répéter à tous les curieux, à tous les peinés, sans souffrir chaque fois de nous remettre au présent.
Pour la préparation de ton enterrement, nous avons confié à Clara le soin d'organiser les interventions des ados, à Olivier celui de s'assurer de la diffusion des musiques. On a parlé de toi pendant des heures. Cette famille, que tu avais adoptée comme un modèle idéal d'amour et de fusion filiale, qui t'a emmenée en vacances un si grand nombre de fois, parlait de toi, de tes lunettes, de tes coups de gueule, de tes coups de soleil, de tes bikinis improbables et de tes grasses matinées légendaires, comme si tu étais leur propre enfant. Tu es l'enfant de tous. Tu es l'enfant arrachée à la vie qui consolide la vie des enfants restés en vie. Tu es la sacrifiée, l'Iphigénie qui libère les vents pour le voyage des autres. On a rouvert du chablis et du bordeaux. On a évoqué notre désir de partir à la mer pour le week-end, pour s'arracher à l'inertie des jours fériés, au jus de larmes et de douleur que les murs trop familiers de la ville pressent entre leurs pierres. Ils ont encouragé notre initiative, suggérant le train plutôt que la voiture, inquiets de nous savoir tremblants sur les routes. Et puis on est partis, pour passer notre troisième nuit seuls dans l'appartement, avec pour la première fois la sensation d'un baume. Les larmes des autres tapissaient notre douleur, la matelassaient en quelque sorte. C'est une sensation qui aura ses limites, mais qui je crois, ce soir-là, nous a fait du bien.

*À la maison – dimanche 16 février*

Aujourd'hui c'est un dimanche. C'est grand soleil depuis ce matin. Un soleil en toc qui nous fait mal parce qu'il ne te réchauffera plus jamais. Ce soleil trompeur des printemps précoces qui te mettait le cœur en fête : tu pouvais abandonner les lourds vêtements d'hiver et nous raconter le soir, ô délices, que les vestes et les anoraks avaient été empilés en gros tas sous les marronniers dans la cour pendant la récré tellement il faisait bon. Aujourd'hui c'est un dimanche, le 8e après ta mort ; et j'ai fait un truc de fou. J'ai complètement neutralisé ta chambre. Je l'ai rendue aussi impersonnelle que la chambre destinée à la jeune fille au pair d'une famille bourgeoise. On avait déjà fait pas mal de tri, de sacs-poubelles… On avait commencé à y étendre le linge, une fonction utilitaire qui a autorisé les allées et venues sans s'écorcher le cœur. On avait laissé tes copines, Camilla, Diane, Clara, Flora, Marilou, venir y piocher une fringue, une peluche, une paire de boucles d'oreilles en souvenir de toi. Mais le lit restait renversé contre le mur, dans l'état où les pompiers l'avaient basculé quand ils avaient installé tout le matériel au sol pour tenter de te réanimer. Des papiers traînaient, des cours, des feuilles volantes, des dessins… Aujourd'hui j'ai tout liquidé. J'ai démonté ton lit qu'on est allés mettre sur le trottoir d'en face pour les encombrants du dimanche. On avait chacun dans les bras, papa, Marilou et moi, un morceau de ta couche, ton bateau ivre, ton tombeau. Non, je n'ai pas porté la couette chez le teinturier, je l'ai jetée. J'ai retrouvé dessous des Chocapic et des bouchons de compotes à téter, et aussi une multitude de petits élastiques pour les dents quand tu mettais tes bagues spéciales pour la nuit. J'ai aussi retrouvé, encore humide, roulé en boule, le gant de toilette que j'utilisais pendant ta fièvre pour t'humecter le front, les joues, te rafraîchir. J'ai passé l'aspirateur et le chiffon à poussière, réinstallé le matelas à même le sol avec une literie neuve. On pourra enfin faire une photo correcte pour le descriptif de l'appartement parce que je ne t'ai pas encore dit, mais on compte le mettre en vente et déménager. Peut-être. En fait on n'en sait rien. On a très peur d'être dans une nouvelle maison où il n'y aurait pas ta chambre. Ce serait comme si on avait tourné la page, accepté que tu ne sois plus là et c'est parfaitement inacceptable. Et puis, qu'est-ce qu'on va faire de tes soixante-dix-sept peluches ? Desquelles il faut soustraire Palmyre, réquisitionnée par Flora ; les deux chiens jumeaux, pour Marilou ; Paf, qui dort au cimetière ; Caramel, qui est dans ton cercueil, et deux autres qu'on a fait exprès d'égarer dans un fossé le long d'un champ du côté de Faverolles. Moi, j'ai gardé Canaille, of course.

Je continue…

*Jeudi 26 décembre*

Troisième jour après ta mort. Les bureaux, les commerces, les banques ont rouvert, ouf... Le matin, j'entreprends le Crédit Lyonnais pour entamer la procédure qui libérera l'argent mis de côté pour tes études. Tes études... Il faut faire la queue, je m'impatiente, on me rabroue, l'idée m'obsède que je dois bénéficier, au vu des circonstances, d'un régime de faveur, d'un droit au coupe-file; je dois lutter contre cette pensée, j'en connais les dangers, la haine à la place du sang, alors je me contrôle.

Plus tard dans la matinée, papa et moi nous retrouvons à la maison, la main tremblante sur le téléphone : il y a cet appel à passer, qui nous terrifie, qui soulève des nausées visqueuses et des désirs de meurtre :

«Allô les urgences? – Oui? – Est-il possible de récupérer le dossier de la jeune patiente que vous avez reçue dimanche soir? – Oui. Il faut formuler la demande par écrit et ensuite ce sera 0,18 euro la photocopie.

C'est pourquoi? – Eh ben, cette jeune patiente..., elle est morte le lendemain...» Léger blanc. «Ne quittez pas.» Nous n'avons eu aucune difficulté à être reçus. Pour 14 heures le jour même, la chef du service des urgences nous propose une rencontre. Effroyablement dur de retourner là-bas. Les odeurs, les néons, les toujours-vivants. La chef de service, une belle femme vigoureuse, parfaitement centrée entre une authentique compassion et le souci de se prémunir contre d'éventuelles attaques en justice, s'entretient avec nous pendant une heure. Elle nous assure qu'aucune erreur médicale ni négligence notoire n'a été commise. Qu'elle-même aurait sans doute fait pareil. Que l'autopsie nous en apprendra plus, mais qu'après lecture du dossier et discussion avec l'interne, sa responsabilité n'est aucunement engagée. Je ne peux pas m'empêcher de lui signaler le comportement désagréable de ladite connasse d'interne, son ton rugueux et supérieur, son vocabulaire inapproprié, sa gestuelle expéditive. Je m'entends répondre que la grande timidité de la jeune incriminée explique sans doute ses lacunes en matière de relations humaines. Que ça lui sera signalé. Nous insistons encore : mais vraiment? Jamais de prise de sang en pareil cas? Non non, la procédure a été parfaitement suivie... Au revoir, messieurs dames, toutes mes condoléances et bon courage.
Nous voilà de nouveau comme des cons sur le parking de l'hôpital. Le téléphone sonne. C'est Raphaèle.

La toute fraîche maman de Charlie quand moi je n'en suis plus une. Elle me rappelle que son petit frère est mort quand elle avait 16 ans, qu'elle a vu ses parents traverser la même chose que nous, qu'elle croit comprendre la morsure plantée dans nos chairs. Je pense aux autres enfants que nous n'avons pas, que nous n'aurons plus. Je pense à cette chance : aucune fille, aucun garçon aujourd'hui ne pleure la mort de sa sœur Camille, cachant douloureusement ses larmes dans le secret de sa chambre pour épargner les parents, ne pas en rajouter. Fille unique. Mon unique. Mon enfant. Ma disparue.
Tout le reste de ce jeudi après-midi s'est passé aux Pompes funèbres, avec Manu, pour régler la cérémonie. Il paye le café, on se sent comme chez nous, bizarrement je suis bien dans sa petite boutique des morts, je fais quelques blagues, on peut même aller fumer dans la courette du local à poubelles; la dernière clope de la journée, il la fumera tout seul avec moi parce que papa a dû partir, me racontant ses faits d'armes, ses plus beaux enterrements, les plus émouvants. Il sait déjà que le tien sera de ceux-là. Je comprends qu'il se bat avec les plannings et sa hiérarchie pour que ce soit lui, et nul autre, qui prenne en charge la cérémonie de la «petite puce». Je me demande encore ce qui fait qu'il a pris tellement à cœur ta mort, pourquoi il tenait tant à t'accompagner, maître de cérémonie, gentil organisateur...

Pendant qu'on élabore tout ça, j'ai des idées, des réflexes de mise en scène, je passe des coups de fil. Je demande à Bertrand qu'il compose pour toi des alexandrins à partir des souvenirs que toute l'équipe du *Tartuffe* et des Corneille a de toi; je demande à Carole de lire ton poème, «La jeune fille dans la clairière», je rappelle Clara pour préciser le «temps lycéen», pas trop long, pas trop d'intervenants... On avance, ça fait du bien de voir tout prendre forme, ça fait comme si t'étais encore avec nous, ça brouille la vie et la mort, ça frôle la folie douce, mais le contexte est très professionnel, alors on se met dans les rails et on suit à très grande vitesse cette voie de malheur qui va nous déporter vers la vie sans toi.
Papa repasse me prendre à l'agence, et nous quittons Manu avec des devoirs pour le lendemain : signature des papiers définitifs, mise au propre du déroulé de la cérémonie et une visite au cimetière pour choisir ton emplacement. Il est payé pour dix ans. Concession la moins chère. Renouvelable. Ce sera à nous de nous manifester, les services de la mairie n'envoient pas de courrier à l'approche de l'échéance. Impossible de me souvenir si Tantine est avec nous. Je ne crois pas.
Nous rentrons à la maison. C'est de nouveau cette heure détestée – la nuit tombante, le bruit des ambulances dans le crépuscule, les odeurs de cuisine qui montent des étages. C'est comme le lundi 23 décembre vers 18 heures, quand la vie a cessé d'être la vie puisqu'elle t'a désertée.

On peaufine la cérémonie : il faut changer des musiques, pour le rythme, la cohérence, la couleur générale. Papa, Delphine et moi travaillons comme des régisseurs. On décide de supprimer *Les Demoiselles de Rochefort*, même si tu les chantais à tue-tête au moins une fois par jour, les paroles sont trop impersonnelles, trop éloignées de notre douleur, elles ne racontent rien de toi, à part que tu es/étais Gémeaux. Pour l'ouverture, je pense à cette valse, tu sais ce truc splendide et entêtant qui servait de fil rouge au spectacle des Grecs et que tu avais tellement aimé. Mais je ne retrouve plus la feuille que le jeune Baptiste t'avait donnée avec la liste des titres diffusés pendant la représentation. J'ameute Diane pour qu'elle le presse de nous la réexpédier, mais il est injoignable, en vacances de Noël. Un qui ne sera certainement pas à ton enterrement. Un qui ne doit pas savoir encore... Finalement, Diane retrouve le morceau et nous envoie par mail la référence : c'est de Khatchaturian, ça s'appelle «Masquerade». Tu disais que la musique classique c'était pour des dinosaures comme nous, mais je sais bien que tu pouvais, en cachette, te laisser chavirer par une symphonie. Je suis sûre que ton smartphone héberge une petite *Quatre Saisons* ou même la *Marche turque* qu'on beuglait toutes les deux le plus vite possible. J'irai fouiller un jour si j'ai le courage.
On écoute «Masquerade» sur YouTube. Papa trouve ça quand même trop théâtral, trop solennel. Il n'a pas

tort. Alors il a cette idée de génie : choisir parmi les musiques des films de Miyazaki. Nous voilà une nouvelle fois tous agglutinés derrière l'ordi. Redéfilent les images; tous ces films vus pour la plupart ensemble, toi et Marilou chantant les génériques à pleine voix dans ta chambre, nos discussions sur le message délivré par le réalisateur : le bien, le mal, l'ambiguïté indéfinissable entre les deux, le sang sur les plaies de Mononoké, le bon sourire de Totoro, les paradis verdoyants qui n'existent que dans les images, les méchants qui le sont parce qu'ils souffrent. Et tout ça.

Finalement, on jette notre dévolu sur les premières mesures du *Château ambulant*. C'est parfait.

Et puis aussi il faut trouver une fin. Comment finir? Comment finir ta vie? Comment «t'accompagner dans ta dernière demeure»? On va fouiller dans ton ordinateur, ou dans le mien, ou dans ta clé USB, je ne sais plus, et on trouve ZAZ, oui c'est ça, ZAZ. Le titre qui s'appelle «On ira», un peu rock, un peu pêchu. On ira faire ceci, visiter cela, s'embrasser là-dessous, se promener là-bas. Et soudain, l'effet «liste» de toutes ces choses que tu ne feras jamais, l'énumération impitoyable de tous les possibles dont la mort te prive nous paraît une conclusion acceptable – amère, paradoxale, déchirante, mais acceptable. À la deuxième écoute, Tantine et moi dansons dans le salon, ivres et folles, dans l'imposture de nos muscles pétrifiés qui réclament leur dû, dans l'horreur des paroles, dans la conviction que tu partirais sous terre avec cet impensable. No requiem. On ira.

Derrière l'ordi, je recopie au propre les dernières indications pour Manu.

Et je me dépêche, parce que je veux boucler le bazar avant d'aller chez Christine. Papa et moi sommes attendus pour 19h30. On sait que ce sera le deuxième soir de «baume», après les Marcou. On a trois objectifs : pleurer avec elle et ses trois filles : Marilou et les deux aînées; requérir ses compétences de graphiste pour la fabrication du faire-part, et lui demander si elle peut nous prêter son atelier pour organiser un pot après la cérémonie. L'atelier est à mi-chemin entre le cimetière et le métro, comme tu sais, idéal donc. On se dit qu'il ne faut pas laisser les gens se quitter comme ça, chacun repartant chez soi, dans le froid, dans l'hiver, dans ta fin, sans qu'un endroit les accueille pour prendre ensemble quelque chose de chaud et/ou quelque chose de fort après que ton cercueil aura été mis dans la fosse.

*À la maison – lundi 17 février*

Cet après-midi, premier jour des vacances scolaires, 8e lundi après celui de ta mort, je suis allée au cinéma avec Marilou voir *Le vent se lève*, le dernier Miyazaki justement. On s'était promis d'aller le voir ensemble tu te souviens. On guettait la sortie pour janvier. À ma droite le fauteuil vide faisait béance. Je m'installais toujours entre vous deux au cinéma, et je vous serrais fort les mains… Avec Marilou on a énormément pleuré, et ri aussi, parce qu'on savait que comme nous tu n'aurais pas aimé le film. La grâce, la magie ont disparu. Le grand maître est fatigué. Il fait dire à son héros que le pic de créativité dans une vie ne dure que dix ans. Lui, ça y est, il est sur l'autre versant. C'est une glissade que tu ne connaîtras jamais.

Mais je poursuis le récit, la mission. J'écris comme on dépollue des sols rendus infertiles par une catastrophe industrielle.

*Jeudi 26 décembre – suite*

Jamais durant toute cette journée nous n'avons oublié qu'à l'heure où je faisais la queue au Crédit Lyonnais commençait ton autopsie. Par déflagrations soudaines, ton corps disséqué à La Salpêtrière pendant que nous autres, chez Manu comme dans un théâtre, chez Christine en champagne-saumon, lui pomponnions une tombe, ça fait de la mitraille à vouloir mourir au feu. Tu sais, j'ai oublié où j'étais pendant qu'on autopsiait ma mère, ta grand-mère jamais connue. J'espère qu'elle te fait coucou des fois.

Nous sommes donc arrivés chez Christine. C'est dans le Jura où elle skiait qu'elle a pris le coup d'assommoir. Beaucoup de gens skiaient pendant que tu mourais. Très vite, après les bouchées réglementaires du saumon de Noël, nous nous sommes mis au travail. C'est du boulot, un mort qui vous tombe dessus sans prévenir. On a fabriqué le document que j'ai appelé pompeusement «In memoriam» (rangé in «FEUE CAMILLE») destiné à être distribué aux gens pendant ton enterrement, un petit A5 qu'ils garderaient en souvenir de toi. De nouveau il fallait choisir. Quelles images, quels textes? On a pris la photo qui est sur ton mur Facebook, celle où vous posez toutes les deux avec Clara devant le lycée. De toute façon on était incapables de faire défiler devant nos yeux toutes les photos récentes. Et celle-ci? Non, plutôt celle-là! À moins que?... Celle-ci? Tu préfères pas? Insupportable. Alors on a pris la plus accessible. En deux clics Christine a gommé Clara et a tiré un pdf où tu rayonnes, le regard droit vers nous, tes cheveux comme tu aurais voulu que je m'en souvienne si tu avais su que tu allais mourir. Sur le verso on a imprimé les paroles de *Pantin Pantine* : «Et zut et crotte»; ton poème, celui de la petite fille dans la clairière qui arrête la pluie; et les paroles de «Vertige», tu sais, la chanson de Camille dans *Le Fil* qui dit que les oiseaux ont eux aussi le vertiii-ii-ge. Mise en page, recadrage, ne pas oublier les coordonnées, etc. On a aussi fait une liste des choses à acheter pour l'after cimetière. La même liste de courses que pour les anniversaires et les vernissages : cubis-chips-quiches-cacahuètes. Ça avait quelque chose d'incongru, d'insolent, d'absurde, d'écœurant, de décalé, de blasphématoire... mais ce soir-là «l'effet-baume» a marché encore une fois. Il reposait sur la formidable capacité des filles à nous entraîner dans leur spirale d'action, de concret, de fabrication. C'était comme une forge où se fondait le métal qui servirait d'armature à nos corps pour les prochains jours.

À un moment j'ai dit à papa : «On y va?» Je venais d'être assommée par quelque chose qui allait se reproduire souvent : la fatigue du chagrin. Le chagrin fatigue, et son appel est sans réplique possible. Encore aujourd'hui je quitte des assemblées sans sommation parce que je suis exténuée. Marilou est venue se blottir dans mes bras et y pleurer chaudement en murmurant : «ma deuxième maman», et je répondais serrant sa tête contre mes seins : «ma deuxième fille...». Plus de dix ans qu'on avait inventé ça, elle et moi... T'en étais jalouse pas vrai? Des fois on aimait bien t'agacer avec ça!

Et puis on est rentrés à pied vers la quatrième nuit. Un ou deux verres encore, noyés dans la larme et le dégoût. Sans trop de difficultés enfin le sommeil.

*À la maison – samedi 22 février*

Demain c'est le 23 février. Le deuxième 23 depuis le 23 où tu es morte. Ce mois-ci, ça tombe un dimanche. C'est la réouverture de la saison des vide-greniers. Papa est content parce qu'il va pouvoir se remettre à chiner du vinyle. Moi j'ai cette vision un peu obscène, un peu dégoûtante, de tes peluches, de tes BD, de ta tirelire, de ton sphinx en bronze et de tous ces menus reliefs de ta courte existence commercialement disposés sur notre drap de brocanteurs du dimanche entre le service à vaisselle de Papoune et mes vieux manteaux. Tu crois qu'on va faire ça ? Acheter deux mètres linéaires à une association d'un lointain arrondissement parisien pour vendre tes affaires à l'abri du regard des voisins du quartier ? Que font les autres gens ? Les autres parents ? Que font-ils des affaires de leur gosse disparu ? Qui veille sur ces reliques ? Un vide-greniers, non, c'est pas possible.

Depuis une ou deux semaines, je suis comme tendrement cernée par une ronde d'enfants morts. On dirait qu'ils jouent à la chandelle, qu'ils dansent en cercle et déposent derrière mon dos le petit trésor, le petit chiffon de leur permanence impossible et tremblante. L'Anatole de Mallarmé, la Léopoldine de Hugo (tu la connaissais bien, elle), le Gaspard de Sophie, la Bahia de Sylvia, la Pauline de Forest, le Mehdi de Giraud, et maintenant le Lion de Rostain. Ils tressent leurs voix toujours claires, ça fait le grand chant de l'absence, le mistral perdant, qui siffle continûment aux oreilles, même quand le temps est calme et la ville vide.

Je voudrais aussi te raconter ce rêve que j'ai fait il y a quelque temps déjà. Tu m'entends ?

C'est juste pour te distraire si jamais tu t'ennuies parmi les asticots. Tu adorais quand je racontais mes rêves – maman raconte bien. À la fin, tu levais les yeux au ciel en secouant la tête : « Pppfff, t'as vraiment trop d'imagination, ma pauv' mummy ! » Alors voilà. Écoute. C'est une maison endeuillée, peuplée de gens qui chuchotent ou se recueillent. Ambiance assez bergmanienne. Ça ne fait pas peur, ce n'est pas morbide, c'est juste une nappe de tristesse infinie qui fait s'éteindre les voix et se courber les corps. À un moment, un homme assez beau, un peu plus jeune que moi, s'agenouille au pied du fauteuil où je suis assise. C'est mon frère. Comme tu sais, je n'ai pas de frère. Il se penche très délicatement vers moi, et d'une voix très douce mais très ferme me dit : « Sophie, suffit de pleurer maintenant. Il faut aller t'occuper de tes autres enfants. Ils ont besoin de toi. » Il me prend par la main, me soulève doucement du fauteuil et, me tenant par les épaules et par la taille, nous fraye un passage parmi les grappes de gens en noir. Je me souviens que je m'appuyais vraiment contre son corps pendant cette traversée. Après avoir parcouru plusieurs pièces, nous arrivons dans une chambre où se tiennent sagement deux jeunes enfants que je n'ai jamais vus. Mon frère me les présente, très doucement, très gentiment : voici ton fils, ta fille. Il me donne leurs prénoms, mais je les ai oubliés depuis. Oui, je sais, c'est dommage, ça t'aurait beaucoup intéressée, pardon. Toi qui déjà cherchais les prénoms de mes futurs petits-enfants, j'aurais pu me souvenir de ceux de tes frère et sœur de rêve ! Les deux jeunes enfants me saluent poliment. Étrangement, ils disent Bonjour, madame, pas Bonjour, maman… Et puis voilà ça s'évanouit, je ne sais pas trop comment ça finit. Je n'ai pas vraiment fait d'autre rêve marquant. Un seul où tu apparais. Une vision assez courte : c'est ma chambre d'enfant à Belfort. Je suis sur mon lit et je discute avec ton père qui est assis sur le tabouret de piano. Soudain tu surgis. Tu dois avoir entre 6 et 7 ans. Et tu te mets à sauter sur le lit hystériquement en riant comme une folle. Très gamine. Et on rit aussi, mais à un moment on te demande d'arrêter parce qu'on a peur pour tes lunettes.

Voilà. Rien de folichon, tu vois. Tu viendras, je crois, visiter mes rêves plus tard, comme maman, ta grand-mère qui ne le fut jamais, est venue tardivement visiter mes nuits. D'ailleurs, dans les rêves où elle apparaît, c'est presque toujours le même motif, même si le décor change. Elle surgit comme ça, à l'improviste. Je suis ahurie, stupéfaite : « Ben, qu'est-ce que tu fais là ? T'aurais pu prévenir ! » Elle a un sourire d'une infinie tendresse, un peu fatigué, et elle pose son index sur sa bouche : « Chut… Pose pas de questions. » Dans mes rêves peut-être tu vas devenir comme ma mère, tu vas devenir ma mère. Je serai ton enfant. En écrivant ça, chaton, je crois qu'en fait c'est en train d'arriver. Oui. Je deviens ton enfant : j'ai peur quand tu n'es pas là et je sens que tu me protèges. Sans ascendant ni descendant, les fantômes sont ma seule couverture de survivante unique et déloyalement en vie.

J'ai décidé que je n'irai au cimetière que les jours où le temps sera beau.

Continuons, avant que tout s'évanouisse. Les particules fines de l'oubli envahissent déjà les détails…

*Vendredi 27 décembre*

Au réveil, il faut s'étonner encore, comme à chaque réveil, d'être en état de continuer de vivre, d'exister. Café, tartines, brosser les dents – ça doit être le premier jour où j'ai changé de fringues, trempant dans les mêmes depuis ton dernier pyjama.

Le service des autopsies de La Salpêtrière appelle pour donner son feu vert, on peut t'inhumer, leur travail est fini. La dame au bout du fil me demande si on te laisse dans ton bas de pyjama avec le petit débardeur blanc… Quel bas de pyjama? Quel débardeur blanc? À qui sont ces habits? Je ne sais même pas comment tu étais sous la couverture de survie de la civière qui t'a emportée de l'appartement. Nue sans doute, parce que ton petit maillot rayé ils te l'ont retiré quand ils ont placé les machines à réanimer qui ne t'ont jamais réanimée, et le leggins noir je l'ai retrouvé tout roulé en boule dans un coin de ta chambre quelques jours plus tard. Macabre trouvaille, comme le gant de toilette. Alors nous saute à la gueule cette question, chaque fibre de notre corps labourée par sa cruauté, son absurdité : dans quels vêtements t'enterrer? Quoi pour ta «toilette mortuaire» (quel nom sinistre)? La question me foudroie. Mais je n'ai pas le temps d'y réfléchir parce qu'il faut vite aller aux Pompes funèbres signer les papiers définitifs, régler les derniers détails, modifier les chansons, montrer à Manu comme on a bien travaillé hier soir. J'en profite pour lui demander si ce sont ses services qui s'occupent d'apporter les habits à La Salpêtrière. Il répond que c'est à la famille de s'en charger. Nouveau coup de massue. Je pâlis. Comment trouver la force d'aller là-bas? En métro, en voiture? Comment tendre le petit bagage à un type en blouse blanche qui peut-être vient de t'ouvrir le crâne et le ventre, en lui demandant de bien vouloir avoir la gentillesse de passer ces quelques effets au cadavre de 16 ans qui vient d'arriver dans sa boutique? Je n'ai même pas besoin d'expliquer à Manu à quel point c'est pour moi insurmontable, impossible. Il lit dans mes yeux, entend dans ma tête la panique qui tape sur les tempes. Il saisit son téléphone, échange quelques paroles, de nouveau avec Georges ou Raymond, couvre de sa main le combiné, relève la tête vers moi : «Vous pouvez apporter un petit sac avant 14 heures?», je dis oui, il conclut la conversation en disant : «Bon, c'est OK, à tout à l'heure.» Il est des moments où l'on éprouve pour les gens une reconnaissance infinie, qui vous donne envie de vous jeter à leurs pieds en baisant leurs mains et en les mouillant de larmes. Je pars vite pour rentrer à la maison, retrouver Tantine et papa, et faire ton bagage – pas pour la colo, pas pour les vacances, pas pour un séjour à l'hôpital – non, pour habiller ta dépouille. Scandale inhumain, déchirure sans pareille. Je ne peux pas mettre les pieds dans ta chambre. Je crie à Tantine et papa mes instructions depuis la cuisine : «La jupe marron à volants doit être dans le deuxième tiroir de la commode ! Oui, le collant gris, pas le marron !» Le pull bleu comme tes yeux est encore emballé : c'était le cadeau de Tantine pour ton Noël; les boucles d'oreilles aussi, c'est le cadeau de maman pour ton Noël. Ne pas oublier culotte et soutien-gorge. Bien sûr, tes bottines à talons, les noires avec les franges. Et puis on choisit un vernis à ongles; c'est le vœu de Clara expressément formulé par texto hier. On prend le bleu mat, assorti au pull «pour que tu sois classe pour l'éternité», comme dira Clara au micro pendant la cérémonie, soulevant même quelques rires enmouchoirdés dans l'assistance. Tout est placé dans ton sac «dodo», celui argenté que tu prenais pour aller dormir chez les copines, que je t'avais acheté pour un anniversaire; je ne sais plus lequel. Qui peut imaginer qu'oublier ce genre de détails – quel anniversaire? quel magasin? – creuse des gouffres d'épouvante où l'on tombe de plus en plus profondément, vers la nuit absolue; vers la folie. En courant j'apporte tout ça à Manu, lui faisant promettre de faire établir un reçu par La Salpêtrière pour qu'on soit assurés que tout est bien parvenu. Ensuite il faudra aller au cimetière.

*À la maison – quelque part fin février*

Le temps traîne sans toi. Je ne veux pas que ce qui s'écrit là devienne un ersatz de journal intime, à parler de moi, et que de moi, et encore de moi ; moi qui commence à ne porter que du noir, qui pleure sans réserve en public, qui dure en pantin pantine au-delà de ton absence, de ta définitive absence, dans une vie qui mime la vie. Je voulais écrire vite, jusqu'à ta mort, ton dernier souffle ; puis, allez, faisons durer jusqu'à ton enterrement, et puis voilà, ça ne s'arrête pas, ça ne s'arrêtera jamais – toi disparue n'a pas de fin. Je pensais tout consigner en quelques jours, dans la frénésie d'un compte rendu clinique et vite torché, de la fièvre au rictus, de Bichat au cimetière – hop, et voilà, point final. Mais le piège est béant, l'infini se dresse, comme une sirène d'ambulance dans la nuit. Comment finir d'écrire ta fin ? Quand déjà tes copines espacent les rendez-vous. Quand déjà je réussis à aller chercher le métro sans faire ce détour qui m'évitait de passer devant ta maternelle. Quand déjà deux dîners sous

Clochette pensive se passent sans qu'on t'évoque. Quand déjà, ce mot, l'oubli, se glisse en amorce dans le coin de la page ?

*Vendredi 27 décembre – suite*

Après le dépôt chez Manu de tes atours de Belle au bois dormant, nous avions rendez-vous avec Tantine à l'entrée principale de l'Ancien Cimetière, là où sont établis les bureaux de la «Conservation», ça s'appelle comme ça. Un employé des services municipaux nous attendait pour nous faire visiter les emplacements disponibles. Nous nous étions déjà mis d'accord pour que tu reposes dans le Nouveau Cimetière. Les deux sont séparés de quelques centaines de mètres par l'avenue Jean-Moulin.

Je n'étais jamais montée dans un véhicule électrique, encore moins dans un véhicule estampillé aux armes de la Ville; Papa s'est même cogné la tête en grimpant sur le marchepied parce que c'est tout petit ces machins-là. L'employé municipal nous a donc conduits au Nouveau Cimetière dans cette stupide voiturette. Il est passé au bureau en nous demandant de patienter et en est ressorti avec une fiche et trois numéros d'emplacement. Je ne me souviens pas des deux autres, j'ai choisi «ta dernière demeure» sur un coup de foudre, un angle de soleil couchant, une proximité de marronniers pour te protéger du vent et te faire de l'ombre, un certain isolement dans l'allée, en retrait des voies principales. Tu résideras entre la famille Vise dont une demoiselle née en 1906 s'appelait Barbe, ça ne s'invente pas, et un certain Robert Kaltschmidt. Ces deux morts sont considérablement plus vieux que toi. J'ai vu aussi que tu feras presque face, légèrement en diagonale, mais vos pieds se toucheront bientôt quand les racines des arbres auront encore poussé, à Gabriel Blanchemanche, tu te souviens? ce gosse du quartier mort d'un cancer. Sa plaque dit 1995-2010. Flirts d'outre-tombe. Amours souterraines. On a pensé que tu serais bien, là. C'est tout près du lycée, les oiseaux y pondent et y pépient. On a serré la pince à l'agent municipal, affaire conclue, merci, et on est redescendus tous les trois. On devait voir Jacques, ton parrain, qui avait écourté exprès son séjour en Bretagne. Cette horreur, il ne voulait pas la croire; il lui fallait entendre de notre bouche les mots qui vont avec, lire sur nos visages l'impossible de ça. Dans le couloir de sa maison, il y a encore plein de dessins que tu as faits pour lui gamine alors non! Il ne voulait pas le croire, tout simplement! Il est arrivé avec une bouteille de whisky japonais, beaucoup de shit, et le visage ravagé. Nous avions invité Françoise, la voisine qui devait récupérer la clé pour s'occuper du chat pendant que nous serions à la mer. Cette fois je ne résiste pas à mentionner le surnom que nous lui avions donné : Françoise, c'est la «Maman des Poissons», on était pliées de rire quand on l'appelait comme ça, parce qu'il y a deux ou trois étés, malgré tous nos soins, on avait laissé crever ses poissons rouges dont nous avions la garde. Delphine était là aussi. C'est la première soirée-baume qui se passait chez nous. C'est joli chez nous quand c'est rangé et que brille un beau sapin et qu'il y a une belle nappe... Aujourd'hui encore, je me demande quelle pulsion de vie a commandé à nos gestes toute cette civilité; à nos organes le maintien en ordre de leurs fonctions. À la fin de cette soirée, papa dit que j'ai voulu mourir, mais d'abord je te raconte parce qu'il y a quelques épisodes cocasses et que nous avons ri, oui, ri. Comique de situation.

Françoise est arrivée avec une mangue et une bouteille de Perrier. Une mangue et une bouteille de Perrier! Môman n'aime pas la mangue, tu sais bien, elle en achetait quelquefois pour sa fifille, qu'elle épatait littéralement en la préparant «en hérisson», et môman était toute fière de réussir à te faire enfin manger un fruit sans déchaîner les caprices et les engueulades. Quant au Perrier, n'en parlons pas; j'aime pas les bulles, et le «sans alcool» avait quelque chose de grotesque. La Maman des Poissons allait nous réserver d'autres frasques dans la soirée, dont le cumul finirait par forcer le rire... Quelques quarts d'heure plus tard, alors que la bouteille de whisky était déjà bien entamée et que flottaient dans la pièce de chaudes volutes de marijuana, ça sonne à la porte. J'ouvre et je vois un jeune couple, des commerciaux d'une agence immobilière ai-je tout de suite pensé, sourires crispés, santé visible, un modèle pour un remake de la pub Ricoré... sauf qu'il n'y a pas de démarchage de ce genre un vendredi soir de trêve des confiseurs. Qui diable sont-ils? «On vous dérange?» Je dis que oui. Ils ne bougent pas. Je fais un pas sur le palier, pour les isoler de notre ivresse funèbre : «C'est pour quoi? – On a appris pour votre fille. On est les voisins du dessous.» Je fais un grand ahh! et les invite à entrer, consciente de ce que le spectacle doit avoir de choquant pour des jeunes parents bien comme il faut. Ils restent dans l'entrée, serrés l'un contre l'autre, malgré mes invitations à s'asseoir, balbutient des condoléances, proposent leurs services qu'on décline gentiment, répètent qu'ils ne veulent pas déranger mais demeurent, enracinés, pétrifiés sans vouloir rester ni partir. Alors je secoue tout ça, je fais le chien dans le jeu de quilles : attention, môman embraye le show : «Bon! Ben alors je vous donne une chance : on va tout de suite tester si vous êtes de bons voisins! Françoise, je te destitue de ta mission féline et la confie à ces messieurs dames. Messieurs dames, voulez-vous bien vous occuper de notre chat à partir de demain jusqu'à lundi soir? Oui? Très bien. Je vous présente Bulle. Bulle, voici...

Euh, comment vous appelez-vous? Élodie et Julien? Très bien. Bulle, je te présente Élodie et Julien qui s'occuperont de toi. Voici les croquettes, la gamelle, la litière... La clé? Eh bien, tenez, c'est simple. Voici celle de Camille. Elle ne lui manquera plus.» Le tout avec entrain, vivacité, humour, sous les gloussements et les clins d'œil de Tantine, Jacques, papa et Françoise. Le show, j'te dis! Échange des numéros de téléphone, dernières recommandations, et je les reconduis gentiment à la porte. Ils ne bougent pas... Je force un peu la main en tendant la mienne pour saluer, conclure. Ils la serrent, mais ne bougent pas. Ça devient gênant. Un ange passe. Pas toi, je t'aurais reconnue. Je commence à faire comprendre que nous allons passer à table, que l'heure est venue de rester entre nous, etc. Ils ne bougent pas. Ils sont debout dans l'entrée et ne bougent pas, leur sourire épinglé sur le visage commence à se figer dans ce qu'on appelle un sourire bête, ou une grimace. Et enfin je comprends. Ils veulent me toucher. Oui, c'est ça. Ils veulent une étreinte, un câlin, une embrassade. Je m'avance vers eux les bras ouverts, et à ces gens que je vois pour la première fois de ma vie, j'administre de grosses bises sonores, qu'ils me rendent en me serrant contre eux, surtout elle, me pressant contre sa poitrine, cachant son visage dans mes cheveux parce que, enfin, elle pleure. C'est ça qu'elle voulait, pleurer, lâcher son masque de circonstance et laisser venir à ses yeux l'apaisement des larmes, la détente du consentement à l'émotion.

Une fois cela fait, accompli, accordé miséricordieusement, ils ont pu redescendre à leur étage, où ils me confieront plus tard que ta voix leur manque. Ils adoraient t'écouter chanter, ton rituel entre 19 et 20 heures, à pleine voix dans ta chambre sur les playback que tu achetais sur Internet, et le samedi midi avant ton cours. Mon Dieu, chaton, comme elle me manque à moi aussi ta voix. Dans mon obsession pédagogique, je te reprochais tes *glissando* un peu mélo et ton manque d'assurance dans les aigus... Mais, bon Dieu, nos duos, nos deux-voix, nos canons, «Le cheval de Thomas», «Colchiques dans les prés», «Aux marches du palais», Radiohead, «Pantin Pantine». Combien d'heures ensemble à s'esquinter les cordes vocales? Et tout ce silence maintenant. Maintenant le silence.

*À la maison – mercredi 5 mars*

Aujourd'hui, c'est un mercredi. Je me suis mise à détester les mercredis. Je sais qu'on est mercredi dès le matin 8 heures, depuis le fond de mon lit, à cause de l'activité bruyante qui monte de la Cerisaie. Ils commencent toujours par une grande session au djembé que les animateurs encouragent avec des cris colorés. Parmi eux, je reconnais même la voix de certains que tu as eus quand tu allais encore au centre de loisirs – Éric, Rachid. Plus tard dans la journée, c'est toujours mercredi. Y a des gosses partout, des papas avec des poussettes, des élèves du conservatoire avec le violon sur l'épaule, des grands-mères avec de l'allure et le programme du Méliès sous le bras, pour initier avec beaucoup de zèle leurs petits-enfants au cinéma d'art et d'essai, des ados en grappes qui rient trop fort. Des fifilles au bras de leur môman aussi, en virée pour un shopping. Il devrait exister un puissant médicament qui me fasse dormir tous les mercredis.

Je continue. J'avance. Je n'ai rien d'autre à faire puisque ce médicament n'existe pas.

*Vendredi 27 décembre – suite*

Les voisins sont donc redescendus chez eux. Et Françoise se propose pour faire des pâtes. Personne n'a bien faim, mais il faut manger pour éponger le whisky japonais. L'ivresse est encore montée d'un cran et nous commentons la visite d'Élodie et Julien avec force sarcasmes. Françoise rate les pâtes, trop cuites, trop molles, sans sel, sans saveur, un désastre. Comment peut-on rater des pâtes ? Même toi tu aurais fait mieux. À son tour d'éponger les sarcasmes. Pour se rattraper, elle entreprend de débarrasser. Elle se lève dans un mouvement beaucoup trop grand, un mouvement à la mesure de la tournure que prend cette soirée, disproportionné, ou plutôt à la juste proportion du tremblement de terre qui nous réunit ; un mouvement qui voulait sortir du cauchemar, s'arracher à cette réalité sidérante ; et dans ce mouvement elle renverse ta bougie, la veilleuse allumée pour toi, la belle fleur mauve en porcelaine qui se brise au sol et perd deux pétales. Qu'est-ce qui fait que je ne lui ai pas sauté à la gorge? Pourquoi ne l'ai-je pas chassée de ma maison sous des bordées d'injures? Comment ai-je pu pardonner dans l'instant ce sacrilège, ce couteau dans la plaie, ce pompon dans l'horreur, cette cerise sur le gâteau de la désolation? Je n'en sais rien. Sans doute n'y avait-il rien à pardonner. Sans doute fallait-il cet incident pour couper court aux superstitions, fracasser l'hypothèse du sacré, écarter la théâtralité, la tentation du culte, la panoplie des symboles. Que pouvait bien finalement représenter un pauvre petit bougeoir acheté sans doute sur un marché d'artisans du Sud par un Flavio qui te connaissait à peine? Des veilleuses, tu en avais qui brûlaient pour toi, en ces heures de la Nativité, un peu partout dans le monde, allumées dans des églises ou des forêts par des amis. À Nouméa, à Auxelles, à Naples, à Belém, à Rome, à Lachapelle, à Lisbonne, à Belfort. Allais-je y contrôler la qualité du chandelier et la longévité de la cire?

Ce qui est sûr, c'est qu'après je ne me rappelle plus grand-chose de la soirée. J'entends ma voix, comme au théâtre quand je suis mauvaise. Je fais des bons mots, je parle trop fort, je vide régulièrement les cendriers – je m'observe faire des bons mots, parler trop fort, vider les cendriers. C'est désagréable. Ce dédoublement suspect préfigure sans doute le mode selon lequel il sera possible de ne pas mourir à ta suite, ce que j'appelle aujourd'hui la vie mimée.

Et comme pour entériner la bascule, le transfert, ma mutation, la vie m'a un peu quittée cette nuit-là. Quelques heures plus tard, je suis couchée et je ne comprends pas pourquoi papa est au-dessus de moi en caleçon et sans lunettes, à me coller des baffes, à me crier dessus, à parler d'ambulance. Il dit que mes mains sont glacées, que mon visage est pâle à faire peur, et que j'aligne une suite de mots incohérents parmi lesquels il retiendra que je ne cesse de répéter qu'il a tes yeux, qu'il te ressemble, que le regarder me fait mourir, qu'il faut qu'il remette ses lunettes parce que le voyant je te vois, et que c'est méchant ce qu'il fait, parce qu'il me fait croire que tu es toujours là. Je ne sais combien de temps ça a duré. J'avais commencé un départ, mais papa m'a retenue. J'étais tout près de te rejoindre, mais sa peur m'a gardée ici, où tu n'es plus.
Le lendemain nous devions partir à la mer.

*À la maison – lundi 10 mars*

Aujourd'hui j'ai pris un bain. Ce qui n'était qu'une corvée se change en supplice. Comment ne pas t'y voir, au fond de cette baignoire où tu réfugiais pendant des heures ta beauté et tes rêveries – ton ancienne vie de poisson, ondine, anguille ? Comment ne pas pleurer sous le robinet ? Hurler dans la mousse ? Territoire de ton absence. Faïence des carreaux où je vois mon sang quand je m'y serai trop tapé la tête. Salle de bains.

Cette semaine, au cimetière, ils ont mis la semelle, ce pourtour de béton qui borde désormais ta tombe. Les jours s'alourdissent dans la routine du sans-toi. Les bourgeons percent sans surprise, griffent l'air de pompons jaunes, mauves, jeunes. La température monte et je ne dégèle pas. Comment est ton corps au fond du trou ? Je repense aux cendres de mes parents… C'est quand même bizarre, cette histoire de tombe ; cette prolongation de toi derrière un portail dont les grilles ferment à 17 heures en hiver et à 18 heures à partir du mois prochain. Et si j'avais envie de te rendre visite en pleine nuit ? Hein ? C'est quand même bizarre d'être devenue cette femme qui monte la côte une fois par semaine, pour te dire bonjour et saluer Gabriel, un sac plastique à la main où tanguent une petite plante ou un joli caillou. C'est quand même bizarre d'être devenue cette femme dont le petit carnet au fond du sac à main, au lieu de renfermer l'adresse du kiné, un succès de librairie ou l'adresse mail d'une copine, contient les coordonnées d'un funérarium, d'une chambre mortuaire et d'un service d'autopsies…

*Samedi 28 décembre – le matin*

Mettre trois culottes et un pull dans un sac, dans une boîte mon Tégrétol et ma Pravastatine, lire une carte routière, vérifier les niveaux de la voiture, fermer la maison. Tous ces gestes nous les avons faits en tremblant, en pleurant, comme deux enfants qui partent pour la première fois en colo, comme deux bidasses qui partent à la guerre. Nos cœurs battaient à se rompre, comme on dit, nos cœurs déjà rompus, faibles, exténués. Savons-nous encore conduire? Ne sommes-nous pas trop fatigués au point d'être la proie du premier platane? Allons-nous trouver l'hôtel? Le rivage? La sortie d'autoroute? Un peu de silence? On roule. Je ne me souviens de rien, ni de l'heure qu'il était, ni du temps qu'il faisait. Je me souviens de Crèvecœur. Le cahier bleu, une pomme et une bouteille de whisky à la supérette. Et puis de nouveau je ne me souviens de rien, la carte sur mes genoux, la mer en bleu à droite, pas encore visible.

À l'heure du déjeuner, on est arrivés dans cet hôtel paumé dans la campagne, trouvé, réservé et payé par Carole. La chambre est douillette, bien chauffée, pittoresque. On y laisse nos affaires et on décide de reprendre la voiture pour descendre en ville. Titine, si vaillante tout le trajet, nous fait soudain un sale coup, une très douloureuse menace de panne. Dans une courbe au-dessus de la falaise. On voit la fin du monde. Comme si la vie allait s'arrêter là, sur ce promontoire, dans une voiture en panne au trou du cul de la côte picarde entre Noël et nouvel an. Trouver un garagiste, un dépanneur, est au-dessus de nos forces. Alors on parle à la voiture, on lui dit qu'elle aussi a le droit de pleurer, qu'on comprend bien que tu lui manques à l'arrière avec tes écouteurs... Aujourd'hui, quand on se rappelle, on se dit que Titine avait besoin, à sa manière, de marquer le coup. Nous sommes très conscients de ce que ça a d'irrationnel. Elle redémarre, hallelujah, on descend vers Le Tréport. C'est le cœur de l'après-midi, on trouve une place sur le quai, on traverse la halle aux poissons, la Saint-Sylvestre est dans trois jours, c'est bondé, les prix sont déloyaux. On sort de la halle, on marche au hasard dans les rues. On fait comme d'habitude, papa et maman en vacances, on passe devant les agences immobilières : étude de marché, étude sociologique – on lit la carte des restos : étude gastronomique, repérages pour le soir... Nous tremblons toujours, toujours incertains, mêlés pour la première fois à une foule ignorante, indifférente. Des gosses partout, des familles, c'est samedi après Noël. Les filles comme toi, les belles ados resplendissantes, inaugurent la paire de bottes, le beau blouson, le sac mention «cuir véritable» qu'elles ont reçu sous le sapin. Elles sont sages avec leurs parents ou en bande sur les trottoirs. Mon cœur est déchiré. Je sens celui de papa traîner en loques dans notre sillage. J'ai très faim tout d'un coup, on s'attable dans ce troquet dont je me souvenais et que j'ai retrouvé, toute fière. Nous pleurons. On se souvient de ce que tu avais commandé. On regrette le temps où tu mangeais des moules. On se sustente. La radio diffuse Nostalgie. On décide pour le soir de manger à l'hôtel. Nous rentrons. On n'a toujours pas vu la mer. On y va maintenant. La nuit tombe vite, comme un 28 décembre. Tandis qu'on descend sur les galets, nos pas font un bruit effrayant, un éboulement de carrière à chaque enjambée. Il y a aussi celui des vagues. Excellente couverture. Je sais que mon cri sera couvert. Je ne crois pas avoir pensé à ça précisément, mais de nouveau, d'un coup, de mon corps par ma bouche est sortie une suite de hurlements, sanglots, gros mots. Égosillée face à la mer, éperdue dans son raffut, suppliante, je crie. Comment, pourquoi se calment ces crises de larmes? Je ne sais toujours pas le dire. Papa plus loin dans son caban est en train de se confondre avec la nuit. Mon portable sonne. C'est Leili l'Iranienne. Je décroche parce que je sais qu'elle a besoin d'être rassurée. Cette conversation m'emmerde, j'en perds la moitié à cause du bruit des vagues, j'ai froid, je raccroche, nous remontons. L'heure du dîner est encore assez loin. On s'occupe. On ouvre le whisky. Je branche mon ordi, je me connecte. Il y a ce mail d'Alexandra, celui que j'ai soigneusement archivé dans «FEUE CAMILLE». Alexandra, dans le souci d'un effet-baume, nous a posté le texte qu'un papa a rédigé peu après la mort brutale de sa petite fille. Il pourrait s'intituler «Conseils de survie aux parents qui viennent de perdre leur enfant» ou «Comment réussir son deuil après la mort d'un enfant». Nous le lisons, le commentons, nous en rions. On se donne une bonne note; on s'en sort pas si mal : on fait tout bien comme le monsieur il a dit : nous te préparons la plus belle cérémonie pour la plus belle enfant du monde, nous n'avons pas brûlé toutes tes affaires sur un coup de tête, nous n'envisageons pas de nous séparer (il paraît que beaucoup de couples explosent après la mort de leur enfant), nous aimons pleurer. On a tout bon. C'est dérisoire. Je sais que dans nos têtes on se demande toujours pourquoi on n'a pas crevé. Pourquoi on est vivants. Puis papa s'endort vaguement, et je décide de prendre un bain, de me laver, enfin. C'est là que j'ai commencé ce texte, dans la baignoire. Décidément, à nous trois, on a beaucoup d'histoires de baignoire. Je n'avais pas mis de produit pour le bain parce que je ne voulais pas que le bas du cahier soit léché par la mousse. L'étiquette à l'ancienne, 1,50 € écrit au feutre noir sur une gommette blanche, est un peu délavée maintenant.

*À la maison – dimanche 16 mars*

Camille mon enfant mon unique ma disparue, c'est encore un dimanche, nous approchons du 23 mars, le troisième anniversaire, tant qu'ils se comptent encore en mois, de ta mort. La pleine lune, c'est ce soir, elle surgira dans un ciel radieux, rose, estival, mais un peu flou et comme embrouillardé par une brume de particules dont la radio nous informe heure par heure du degré de toxicité qui s'aggrave depuis plusieurs jours. Réchauffement climatique. Les gens pique-niquent, font du vélo, prennent le bon air, mais en fait ils s'empoisonnent. Aujourd'hui je ne pique-nique pas, je ne fais pas du vélo, je ne prends pas le bon air. Aujourd'hui toi et moi ne nous engueulons pas parce que je t'aurais forcée à ouvrir tes volets, à sortir de ta tanière et à partager au Bois un peu de ce dimanche de printemps précoce – « quand même tu pourrais faire un effort ! ».

Aujourd'hui, il y a une fuite dans la salle de bains, une panne d'électricité dans les chambres et les sanitaires, un gros bug d'ordinateur, et je me suis coupé deux fois le doigt. J'ai beaucoup saigné, j'avais envie que ça ne s'arrête pas, que je me vide et qu'on n'en parle plus. Journée de chiottes, tout qui part en couilles. Des fois je me dis que tu donnes un signal, que tu viens faire coucou, que tu viens te glisser dans ce quotidien au chagrin géant, que tu viens faire dérailler la routine du sans-toi pour qu'on te retrouve vaguement dans les disjoncteurs, la boîte à outils et celle de pansements. Ton plus-rien qui grippe le grand-tout. Un grain de sable dans la machine à survivre.

C'est comme la grêle incongrue qui s'est abattue sur la ville il y a quelques jours pendant les trois minutes où, devant les containers du tri sélectif, tout encombrés des déchets de notre douleur, bouteilles, bouteilles et rebouteilles, cadavres, j'ai reçu le coup de fil du professeur de Bichat. Il fait beau, mon portable sonne, je décroche, on me dit : « La Salpêtrière vient de me faire parvenir le compte rendu définitif de l'autopsie de Camille. » Et dans l'instant, à la seconde, les cieux se déchaînent, l'obscurité tombe, des grêlons me cinglent, glacés, furieux. Tu danses avec la météo. Tu remeurs à chaque tempête. Et nous laisses en vie, sur le bas-côté de la vie. Je te raconterai plus tard de quoi tu es morte. L'ennemi que ta vaillance et ton courage n'ont pas réussi à combattre. Je n'oublie pas ça, ton combat. Inégal, perdu d'avance. Comment pouvions-nous imaginer que tu étais condamnée, que ces quatre jours d'une fièvre banale hébergeaient un missile de mort ? Pourquoi moi, qui t'ai donné la vie, n'ai-je pas compris qu'on te la retirait ? Pourquoi ma foi dans ton inaltérable santé a-t-elle pris le dessus sur ma crainte, sur mon instinct ? Oh, chaton chéri, ces questions, tu le sais, gangrènent les jours, les nuits et font la vie talée, comme on dit d'un fruit. Poison.

Je continue, d'accord ?

*Samedi 28 décembre – suite*

C'est la suite de ton papa et ta maman dans cette chambre tout près de la mer, dans cette cachette, dans ton absence. Au resto de l'hôtel, le soir, notre premier repas normal, avec des couverts. Le personnel, les autres dîneurs ignorent tout de nous, quand nous-mêmes avons l'impression que notre deuil se lit sur notre front, tatoué. Il n'y a plus le blanc d'Alsace que nous avons commandé, alors on nous offre une coupe de champagne. C'est tout ce dont je me souviens. J'ai oublié ce que nous avons mangé. Je regrette, j'aurais dû le noter dans le cahier bleu parce que c'était vraiment bon, une adresse à retenir. On a dû remonter dans la chambre, s'abrutir de confort facile et de whisky bon marché. Dodo.

*Dimanche 29 décembre*

Réveil. Mais quoi ? Où ? Pour quoi faire ? Petit déjeuner seule. Copieux, soigné. Je descends sur la plage avec un grand sac pour ramasser des galets. Il fait froid. Les galets sont moches, pas du tout lisses, blancs, ronds, calibrés, comme on les espère pour une tombe. Non, moches. De taille et de forme différentes, gris ou noirs ou entre les deux. De la caillasse sans intérêt. Mais je m'en fous, je m'acharne, je ramasse, je ramasse, je balance avec fracas les cailloux les uns contre les autres, je remonte la grève avec ce sac qui pèse trois fois mon poids, que je tire, porte, shoote, les mains gelées, la morve au nez. Je jette tout ça dans le coffre de la voiture. Ils y sont encore aujourd'hui. Ta tombe pour l'instant, c'est un jardin. Avec Tantine on a mis du terreau, de la bonne terre, pas cette saloperie des fossoyeurs, remblai, comblement. Je crois que c'est ton vieux copain Elias qui a planté les iris cette semaine.

Oui, chaton, je raconterai jusqu'au 2 janvier, ton enterrement, pour le sourire des fleurs et l'impuissance des galets.

Donc, on libère la chambre d'hôtel, sans payer, merci, Carole. Je crois qu'on est allés sur cette plage, à quelques kilomètres, quand nous avions séjourné un hiver dans un gîte tout mignon, tu te souviens? Précisément à cette période, entre Noël et nouvel an, tu devais avoir 5 ou 6 ans. Tu trébuchais sans arrêt dans les pièges des rochers et on riait sous le vent et les maigres flocons salés. On retrouve le café, qui a changé, qui ne raconte plus rien de toi, et nos peaux sont de trop. Que faire de sa peau? Des fois elle brûle, on voudrait se l'arracher avec les ongles, fouiller, trouver le cœur et se le manger. Comme une autodévoration pour que cesse la douleur. Mais il faut être de retour le lendemain lundi à 13 heures pour des détails de régie de ton enterrement qui se profile comme un show. Il faudra mettre une sono à l'extérieur du funérarium parce qu'il y aura trop de monde, et Manu veut faire ça bien, que personne ne perde une miette du spectacle… Alors j'ai mobilisé Fabrice de L'Échangeur pour qu'il emprunte au théâtre le matériel nécessaire. Toute l'équipe est prête à rendre service. C'est drôle, on peut vraiment demander n'importe quoi à n'importe qui. Ça devient un peu fou, tout ça, c'est excessif, déplacé, mais je ne décide pas, je me laisse guider, glisser, conduire.

Alors quoi faire de sa peau jusqu'au lendemain 13 heures? C'est loin le lendemain 13 heures. Le type de l'hôtel, avant que nous partions, nous a offert un repas dans un autre établissement qu'il gère à quelques kilomètres, à Saint-Valéry. Ça peut occuper l'heure du déjeuner; et puis Carole est en famille pas très loin, en Picardie, ça peut occuper le reste de la journée, voire la soirée. Je lui téléphone, j'organise, je me déteste faisant ça. J'entends ma voix qui prend le rendez-vous, note l'adresse, se fait répéter l'itinéraire. On arrive en baie de Somme, on refait ces pas sous la lumière trop blanche, le quai, la place. On connaît tout ça. On est déjà venus. Quand tu étais vivante. On se tait. On fabrique l'armure. On comprend qu'il faut fabriquer l'armure à présent, dans les forges de la vie qui reste. À un moment je sors du café, je téléphone à Belfort, assise sur un muret devant le fleuve à marée basse. J'ai besoin d'entendre la voix de Maschpro, mon amie d'enfance, la seule dans mon entourage qui ait connu à la fois ma mère et toi. La lumière est belle. Je lui parle. Elle me dit que la belle Luna, sa fille qui vit à Londres, 22 ans déjà (ton modèle en quelque sorte, dis-moi si je me trompe?), veut traduire en anglais un ou plusieurs de tes poèmes pour en faire des chansons, pour se souvenir de toi... Tu s'rais trop fière! Je raccroche. Je retourne dans le café. Je m'aperçois que mon téléphone qui était dans ma main la minute d'avant n'y est plus. Je panique. Mes jambes tremblent, un affolement fantastique m'envahit. L'armure ne tient pas. Mauvais métal, métal de vent, feuille de papier. Cette histoire de téléphone égaré s'est bien terminée grâce à l'honnêteté d'un joli couple avec poussette, mais ces paniques subites, maintenant encore, m'assiègent sans préavis.

*À la maison – mercredi 19 mars*

J'ai envie de te donner des nouvelles de ton chat parce qu'elle est là, notre Bulle, sur mes genoux, comme toujours quand je t'écris. On trouve qu'elle ronronne plus que de coutume, qu'elle câline plus que de coutume, qu'elle stationne devant ta porte plus que de coutume. On dit pourtant que les chats sont des animaux à la mémoire courte ; mais on aime à croire que tu lui manques, qu'elle voudrait pleurer si les bêtes avaient des larmes, que son poil se souvient de tes caresses et de tes brutaleries. J'entends plus beaucoup ta voix, mon chaton, mais quand tu lui gueulais dessus – « Fait chier ce chat ! » – ou quand tu la prenais contre toi – « mon Kiki d'amour » –, c'est gravé dans ma mémoire auditive, inflexion, timbre, hauteur, couleur ; comme cette autre marque au fer rouge dans ma tête, un acouphène de désespoir strident : « Maman ? Câââlin… » et tu fonçais contre mon ventre, que je le veuille ou non, fracturant le mur de nos engueulades innombrables, capturant tout mon être dans le caprice, dans le pardon, dans l'amour, dans le don absolu.

Je n'entends plus ta voix, mais je dis ton nom sans réserve. Parmi les élèves que j'ai découverts hier pour le dernier trimestre au lycée Blaringhem de Béthune, il y a deux Camille. J'ai cru que je n'y arriverais jamais. J'ai cru que ma bouche allait se tordre, se crisper, grimacer, saigner ; j'ai cru que j'allais les débaptiser, trouver un subterfuge, les affubler d'un pseudo débile pour ne pas dire leur nom, ton nom. Et puis, étrangement, c'est l'inverse. Je les appelle, je les nomme presque avec plaisir, je mets ces deux syllabes dans un petit écrin, dans un drôle de sourire que personne ne voit, comme un nom de code pour ma prière vers toi, comme un salut à ta demeurance ici. Tu sais, mon enfant, je demande ça aux gens, qu'ils t'aient connue ou non : murmurer ton nom. Dans l'endormissement, dans la foule, dans le clair de lune, face à la mer, face à la tempête, dans une fin de fête, aux chiottes, sur une colline, dans le métro, faire ça : murmurer ton nom. Camille.

Et je suis même en train de réfléchir à ça : aller chercher dans mon ordi, où tu rangeais si mal tes affaires, des musiques à toi pour le spectacle de fin d'année de mes élèves de Béthune. Je monte une pièce sur les ados, conflits de générations et tout et tout, et je suis sans idées pour l'illustration sonore. Alors je vais prendre tes tubes, tes chansons préférées, celles que vous brailliez avec Clara, ton top ten. Je suis sûre que je vais trouver des perles, t'avais quand même bon goût, t'écoutais même des trucs pas mal.

Le téléphone de papa vient de sonner. Le téléphone de papa, en fait, c'est ton téléphone. Le smartphone que je venais enfin de pouvoir t'offrir. Il l'a pris pour lui. Il a gardé ça de toi. Il a gardé aussi ta sonnerie, une autre de ces chansons de fillasse. Quand le téléphone de papa sonne, je t'entends dire allô.

Mais reprenons.

*Toujours ce dimanche, le 29 décembre*

On est remontés dans la voiture depuis Saint-Valéry, direction chez Carole et Fred, en Picardie. C'est papa qui conduit pendant que je passe des coups de fil, des textos. Compulsivement, maladivement, j'annonce, j'informe... Camille est morte lundi. Camille est morte lundi. Camille est morte lundi. On est tout au fond d'un puits, mais des visages à la surface se penchent vers notre gouffre, crient, lancent des cordes, des échelles, des lianes de survie. On les saisit, on se brûle les paumes, on se griffe les ongles à la douleur des autres, on s'emplit les poumons de leur chagrin pour que l'air soit respirable. On roule sans autre paysage que notre cataclysme du dedans. Au téléphone, dans la voiture, Juliette de France Culture m'apprend que tous ses collègues sont en deuil : le lendemain de ta mort, une vague dans des îles a emporté pour toujours le réalisateur François Christophe et sa fille Bahia. En ce moment, une autre femme pleure et suffoque et

hurle et lutte pour demeurer ici-bas. Elle a perdu son homme et sa gosse. Pendant une seconde tu passes au second plan. Une seconde. Pas plus.
Carole a dit qu'il y aurait une cheminée, du bon vin et les enfants... Les enfants...
Je demande : «Ils savent?» Elle répond : «Oui, j'ai expliqué à ma façon...»
Au crépuscule, on arrive dans ce milieu de nulle part où la barre d'horizon est infiniment plate, séparant sans faire de détails le noir épais de la terre et le noir plus fumeux du ciel. On est fiers, on a trouvé tout seuls. La maison est chaleureuse. Déjà on boit. Très vite on pleure tous. Et puis quelqu'un a le courage d'ouvrir des huîtres, un pot de tarama.

*À la maison – dimanche 23 mars*

Anniversaire. Suis pas allée au cimetière. Papa y est allé pour deux. Je n'avais pas envie de m'y gibouler comme le temps. Je n'avais pas envie d'aller au bureau de vote non plus. Je voulais aller nulle part. Mais il n'y a pas de nulle part. Je le savais déjà mais, depuis que tu es morte, ça me manque vraiment, un endroit où disparaître. Ta mort me disparaît, comme on dit d'une musique qu'elle vous danse. Ce soir, c'est une soirée électorale. Pendant les soirées électorales, tu passais tous les quarts d'heure devant la télé allumée prendre la température comme on dit, commentant depuis tes 16 ans et l'impatience de ton bulletin dans l'isoloir la défaite rose, la percée noire, la reconquête bleue. La toute jeune journaliste en duplex depuis le QG de campagne de Machin, l'attachée parlementaire de Truc sur un plateau télé pour la première fois, tu les scannais avec envie – coupe de cheveux, élocution, profondeur des convictions, présence sur le plateau – Voyons voyons, serai-je un jour à la hauteur ? Moi je t'y voyais derrière le micro, j't'y voyais déjà ; bien sûr que tu passerais un jour à la télé. Correspondante de guerre ou candidate à la Star Ac'. Mais là tu ne seras jamais ni l'un ni l'autre. C'est comme si, après avoir avorté il y a longtemps d'un grand frère ou d'une grande sœur que tu n'as jamais eus, j'avortais maintenant de ton avenir, et que l'opération m'avait laissée sans vie sous les aiguilles de la faiseuse d'anges. Mon ange. Mon auréolée, tes ailes sciées, l'élan brisé.

*Dimanche 29 décembre – suite et fin*

Picardie, après les huîtres :

Lou, 6 ans : «Je t'ai vue tout à l'heure, tu as pleuré!»

Moi : «Oui, j'ai eu un très très gros chagrin y a pas longtemps du tout. Tu sais je crois? Maman t'a dit?»

Marin, 3 ans et demi : «Ben oui, ta fille elle est morte!»

Le sourire immense à ce moment sur nos trois visages phosphoresçait jusqu'à toi, c'est sûr.

Plus tard.

Lou vient se glisser sur mes genoux. Elle force presque le passage, colle son échine contre mon ventre, ne dit rien. Je m'emploie, surtout, à ne pas activer la mémoire de mon corps recevant le tien à cet âge-là, dans cette posture-là. J'anesthésie, je serre les dents.

Au bout d'un petit moment, moi : «T'as envie de parler de Camille? Tu veux savoir quelque chose?»

Lou hoche la tête, fait signe que oui.

Moi : «Vas-y ma chérie, parle. Tu peux demander tout ce que tu veux.»
Lou : «Elle avait quel âge?»
Moi : «16 ans.»
Lou : «Ah? Je croyais qu'elle en avait 14.»
Silence.
Un peu long.
Moi : «Tu veux savoir autre chose?»
Lou hoche la tête, fait signe que non, glisse de mes genoux comme un petit chat s'échappe après sa ration de câlins.
Pendant ce temps, les papas parlaient de l'enquête scientifique que Fred avait faite sur Internet pour expliquer l'inexplicable – virus, grippe, H1N1, mort subite des adolescentes en pleine santé, cas similaires, épidémie. Carole sortait les fromages, une nouvelle bûche pour le feu, une nouvelle bouteille pour se noyer. On s'est noyés. Dans la nuit, je suis allée faire pipi, j'ai traversé le salon. Il restait des toutes petites lumières; celle des braises, celle du sapin en plastique, celle de ta bougie qu'on allume partout.

*24 mars – le soir à la maison*

Ce matin, nous avions rendez-vous à Bichat, avec Bathelier, pour se faire interpréter le compte rendu définitif de l'autopsie. Même bureau, même trio : Tantine, papa et moi. En face Bathelier, blouse blanche, stéthoscope, inchangé, le même bon sourire d'Allan. Il a sous les yeux quelques feuillets rassemblés dans une chemise cartonnée sans couleur. Politesses d'usage, et puis il dit : « Bon, je suis en mesure maintenant de vous dire quelle est la principale hypothèse qui préside au décès de votre fille. En aucun cas je ne vais pouvoir vous *expliquer* quoi que ce soit. » Il parle, nous questionnons, c'est très technique, il répond sans détour. À un moment, l'un de nous trois profère à voix haute les mots qui nous brûlent à tous la langue, qui cyanurent nos bouches : « Dites-nous très franchement, docteur, pensez-vous qu'elle aurait pu être sauvée ? » Silence de Bathelier, haussement d'épaules, son regard glisse de nos yeux à ses chaussures pour remonter dans nos yeux. « Je ne peux pas vous dire, je ne sais pas, c'est impossible à déterminer. Pour nous aussi, c'est une grande douleur et un grand mystère que des morts demeurent encore inexpliquées. »

Oh, chaton, maintenant qu'on sait que c'est une bactérie qui t'a tuée, probablement un méningocoque, maintenant qu'on sait que c'était infectieux – septicémie généralisée, surinfection –, cette ordonnance de Doliprane, tu vois, elle nous reste un peu en travers de la gorge. Oh, chimie chimie!… Ces bactéries qu'on héberge sans le savoir. Nos corps inégaux : toi offerte au sacrifice, laissant la voie au microbe tueur, quand nous, armés, protégés, vivants. Toi dans la bataille perdue, nous dans l'autre poison; le remords. Le bon antibiotique au bon moment, et toi dans ce mars radieux, à savourer la glycine et le forsythia, ton bac blanc révisé dans les squares…

*Avril*

Maintenant, c'est avril depuis deux jours et j'ai pris un train pour Marseille. Peut-être que c'est ici, face à la mer, sur le Vieux-Port, ou du cinquième étage de chez Clarisse à Castellane, que je finirai ce texte, cette élégie, cette lettre, ce rapport, ce poème, ce devoir, cette épitaphe, cette suite de mots trempée dans une encre inconnue jusque-là, ce recueil qui recueille le sang tout chaud de la déchirure, le souffle tout froid de ta disparition.

Clarisse se souvient de la dernière fois qu'elle t'a vue. Avec Clara vous étiez en vacances chez sa grand-mère et pour la journée shopping de fillasses rue Saint-Ferréol, c'est elle qui vous avait accompagnées. Si tu savais, mon chaton, depuis que tu es morte le nombre de fringues à deux balles que j'ai vues sur des stands ou dans des vitrines, à ton goût, à ta taille, à ton teint, à tes yeux ; de celles que je te rapportais, tout heureuse, de tournée ou de virée, et qui doivent rester sur les mannequins des vitrines parce que maman n'a quand même pas tourné folle au point d'acheter des habits pour une morte. Ce truc en dentelle bleue tout à l'heure rue de Rome, t'imagines même pas comme t'aurais été belle dedans!... Oh, tes yeux tes yeux... C'est peut-être pour ça que je suis descendue ici... Ici le ciel, avec la mer toujours tatouée dessus, me redonne tes yeux tout en grand, tout en bleu. Mon Alsacienne. J'ai le tournis dans le cri des mouettes. Je me souviens soudain qu'ici, tu étais encore bébé, je travaillais, je t'avais trouvé une nounou – on avait notre petit rythme toutes les deux au gré de mes fréquentes délocalisations – et tu étais tombée malade... Et ici, oui, je t'avais emmenée aux urgences, à l'hôpital de la Conception ; dans tes veines un puissant antibiotique en perfusion, sous ta peau une fièvre astronomique... Déjà... J'avais oublié... Tu l'avais déjà, ce terrain infectieux? T'avait-il déjà fait son petit sourire mortel, ce méningocoque ? Attendait-il tes 16 ans, ta chair fraîche, ton sein généreux, ta bouche à baisers et la fleur de ta virginité pour te croquer, t'emporter ?

Saloperie. Saloperie des saloperies. Seul amant. Sale vampire.

Il me reste quatre jours à raconter.

J'ai quatre jours avant ton éternité. Quand j'arriverai au soir du jeudi 2 janvier, toi six feet under, j'arrêterai. On en était au dimanche soir en Picardie.

*Lundi 30 décembre*

Il y a donc un lundi matin qui suit les dimanches. Je suis sans souvenirs. Ce lundi est figé sous une grosse croûte opaque où devaient encore une fois se coaguler des magmas de douleur agglomérés à des obligations futiles. Je me souviens juste du précipice qui s'est ouvert dans mon ventre vers 18 heures, de retour à Montreuil, quand la nuit est tombée, et que dans mes entrailles une lave épaisse cloaquait dans l'anniversaire de ton dernier souffle, rictus, râle, convulsion : le lundi d'avant, vers 18 heures. Un anniversaire, quand il se calculait encore en semaines.

Alors, ce lundi, laissons-le dans ce puits sans mémoire. Du mardi 31 décembre avant le soir, je ne me souviens pas. Du mercredi, premier de l'an, je ne me souviens pas non plus. Ce sont des cuves clandestines où marinent encore d'impensables sorcelleries de chagrin et de sidération, d'épuisement, de vie trop ténue

pour être souvenue, minuscules filaments tressés de larmes et de nausées.
Alors, allons tout de suite à ce réveillon surréaliste, cette Saint-Sylvestre sous ton auréole de sainte toute fraîche, ce minuit où personne ne s'est souhaité la bonne année, ces douze coups qui nous ont basculés dans un 2014 que tu ne verras jamais.

*Mardi 31 décembre – le soir*

Le sapin dans le salon est toujours là, très vaillant, sans épines perdues, sans branchages affaissés, tout joli dans ses lumières, avec ces boules faites maison par mes petites mains… Tu t'étais bien moquée de moi la semaine précédente devant mon étalage de rubans de fleuriste, d'attaches parisiennes et de fil de nylon! Ah ça oui, t'avais bien rigolé : Môman en pleine crise «arts créatifs»! N'empêche que t'étais bien contente quand je réparais tes boucles d'oreilles ou quand je bidouillais un truc très ingénieux pour mettre une robe à ta taille! Môman-la-bricole. Tu sais, chaton, toutes les affaires de Noël, boules, guirlandes, loupiotes, glaçons, cierges magiques, santons, etc., etc. je les ai dégagés. Gros sac jeté sans commentaires et même un peu brutalement dans le hall du centre de loisirs Mendès-France. Terminé, fin, rideau, plus jamais. Ce sera bien plus utile là-bas. Noël, c'est fini. Déjà qu'après la mort de Papoune, l'autre année

dans la nuit du 25 au 26, on s'était un peu forcés à continuer de fêter Noël pour te faire plaisir; cette fois on n'en parle plus. Fini. Basta. Stop. En écrivant je tremble pour Noël prochain.
Donc ce soir-là, on avait dit à nos amis, les tiens aussi, que la maison était ouverte, qu'il fallait apporter quelque chose à boire ou à manger, et surtout une petite bougie pour toi.
Les Grandville, les Marcou, les Berthomé sont arrivés pour une première vague de gens, si beaux, apprêtés, sur leur 31, c'est le cas de le dire. Les femmes maquillées et en jupe-talons, les hommes soignés et rasés de près. Les uns et les autres étaient attendus à d'autres réveillons. Ça faisait du bien de les voir tout beaux... Ils passaient pour un before de deuil, de veillée funèbre. Ils sont repartis en laissant dans le salon de bons parfums et des échos d'espérance et de consolation sur lesquels on a ondulé jusqu'à l'année d'après. Et puis la deuxième vague est arrivée, celle qui avait choisi de rester près de nous, près de toi, toute la nuit : Jacques, Nadège, Sabine, Christine et les filles. Des petites bougies apportées se sont mises à trembler comme nos cœurs partout dans la maison. C'est là qu'est arrivée Clochette. C'est Nadège qui l'a trouvée. Un petit support métallique pour bougie chauffe-plat, une tige surmontée d'une petite danseuse et une couronne de pétales en alu auxquels sont accrochées cinq autres plus petites danseuses qui tournent en manège grâce à la chaleur dégagée...

C'est Clochette. Pour mon premier voyage, quand je suis partie travailler à Montpellier, je l'avais prise avec moi. Ici à Marseille je ne l'ai pas, mais Clarisse chaque soir allume pour toi une petite flamme.

Nadège ce soir-là a aussi apporté un beau tirage d'une photo d'Ouessant. C'est un phare solitaire planté sur des rochers battus par les vagues. Le fond est un ciel bleu pâle, transparent. On devine beaucoup d'infini. J'ai punaisé cette image sur la porte de ta chambre.
Bon jambon bon saumon bons vins. Ça ressemblait presque à un réveillon normal. C'est d'ailleurs incroyable tous ces jours qui ressemblent presque à des jours normaux. À un moment, ça sonne à la porte. Ce grand mec blond toujours à vélo qu'on déteste toutes les deux se pointe sans crier gare, équipé d'une sorte de composition florale avec roses roses et gypsophile. Je n'ai rien à lui dire, vraiment rien, il reste debout, incongru, déplacé, l'intrus, le non-autorisé. Il s'en va, piteux. C'est le seul à ce jour dont j'ai repoussé la compassion. J'ai jeté ses fleurs le lendemain pour ne garder que le petit seau de métal noir qui servait de vase, où nous stockons désormais la réserve de bougies pour Clochette. Non mais...
Sabine m'a apporté un foulard en soie très coloré, du meilleur goût bien sûr, et un livre de poèmes : le *Cahier de verdure* de Philippe Jaccottet. Fuck la poésie. Jacques, lui, avait du shit et déjà un peu mal au dos. Tu te rends compte que deux jours plus tard il serait

totalement bloqué, paralysé, incapable de se rendre à ton enterrement? Choc somatique. Tellement désespéré. Ses lunettes sont toujours embuées de larmes... Nous réveillonnons donc. La nourriture et les boissons circulent sans accrocs, pas d'amoncellement de vaisselle dans l'évier, pas de poubelles qui débordent. Une étrange fluidité comme le glissement des spectres. Nous flottons dans le brouillard des cigarettes, qui matérialise l'autre brouillard, celui de ton absence absolue, celui où déjà nous cherchons à nous souvenir de ta voix, celui qui ne désépaissit pas.

*Marseille – jeudi 3 avril*

Tu sais, chaton, je me demande aussi si je ne suis pas venue ici, à Marseille, exprès pour entendre Clarisse, Xavier ou les Fourneau se souvenir de toi. Tous ont une image de toi en mode carte postale : soleil, vacances, baignades… Ta nage intrépide, en eaux vives ou en eaux mortes, qui impressionnait les uns et faisait flipper les autres. Ton piquant, ta hauteur, ta promesse. Ta blondeur écervelée, ta peau de brugnon, tes questions d'adulte aux adultes retombés en enfance à force de rosé/barbecue… Tous ceux qui ont dit quand je suis devenue ta mère : « Ah, les chiens font pas des chats ! » Et je me rengorgeais d'orgueil, et je te regardais d'amour… Je suis venue ici te repeupler d'un peu de Sud, toi ma banlieusarde sous pierre tombale du 9-3, te redonner de la lumière, nous aveugler toutes les deux dans le scintillement de la mer en allée avec le soleil. Elle est trouvée, l'éternité.

Rimbaud est mort ici, tu sais.

Fondu au blanc.

On continue.

Je ne sais plus comment a fini ce réveillon. Delphine se souvient qu'elle a ramené en voiture Nadège et Sabine. J'ai dû ranger un peu. J'ai planté sur les parois du gouffre où je suis désormais installée le pointeur « 31 décembre », comme on fait pour les crues aux berges des rivières méchantes, et je suis allée me coucher en sachant que la prochaine montée des eaux serait encore plus criminelle.

Le niveau baissera-t-il un jour ?

Et si oui, quel sera l'état des ruines après ton glissement de terrain ? Zone non constructible. Mon enfant morte, ma si belle chérie, ne laisse rien, surtout, repousser sur ton Pompéi. On est bien dans tes cendres.

*Mercredi 1er janvier*

Ce jour inaugurait l'an neuf. J'ai oublié la journée, mais le soir les parents de Tim sont rentrés de Saint-Nazaire-le-Désert avec un bouquet d'hiver arraché à ce plateau rocailleux où nous gambadions dans la lavande, l'été où toi et moi avions loué plus bas un gîte rural. Bulle chassait toutes les nuits et nous donnait des sueurs froides. J'ai vu ces gens pleurer. Si tu savais le nombre de gens que tu as fait pleurer ! Des hommes solides, des papas insubmersibles, des mamans couillues soudain méconnaissables avec les yeux tout rouges et la voix qui se barre dans des sanglots inavouables. Personne ne cherchait à cacher ses larmes. Cette impudeur te gardait près de nous, étirait par mouchoirs interposés des doigts infinis pour aller caresser ta joue dans ton tiroir, là-bas, à la morgue de La Salpê. Ce soir-là, on a décidé d'être raisonnables, de ne pas trop s'enivrer, de se coucher enfin tôt parce que le lendemain serait une grosse journée : ta mise en bière; ton enterrement.

*Marseille toujours – 3 avril toujours*

J'arrive au bout, chaton.

Huit heures sonnent à Notre-Dame-du-Mont. Le ciel est rose au-dessus des acacias de la place. Ce matin, c'est midi qui a carillonné à Notre-Dame-de-la-Garde. Toutes ces Notre-Dame, ces Bonne-Mère… J'avais fait promettre à la mienne, au fil des cierges que j'ai allumés pour elle dans tant d'églises depuis vingt-neuf ans, de veiller sur toi et de te protéger. Ce matin, devant la statue de Marie, j'ai failli l'engueuler. Traîtresse, paresseuse, lâcheuse maman qui t'a abandonnée… Et puis je vous ai réunies dans une seule chandelle en espérant simplement que vous soyez tranquilles, peinardes, en repos dans le rien. Moi je reste, je veille, je vous prolonge, je vous invente, la très vieille dame, la blonde ado, mon corps entier comme une chapelle ardente, tout mon dedans façonné par la poussière de vos restes, tout mon dehors irrigué par le lait de vos silences, fontaine de jouvence.

Mais il faut le commencer ce récit du jeudi, du 2 janvier. Le 2 janvier, d'habitude, c'est l'anniversaire de Marie-Cécile et vous faites une soirée pyjama-pizza-DVD. Elle s'en souviendra, Marie-Cécile, de ses 17 ans : le jour où l'on a enterré sa meilleure copine de maternelle…

*Jeudi 2 janvier*

Le rendez-vous est à 13 heures à la chambre mortuaire de La Pitié-Salpêtrière. C'est là qu'on t'a autopsiée, c'est là que les croque-morts te mettront dans ton cercueil, qu'on a choisi de bois clair, avec un capiton bleu, c'est tout simple, très sobre, ça entrait dans le budget et on n'allait pas éplucher le catalogue pendant des heures... Papa a pris Caramel et deux photos : une de ton papa, une de ta maman. Il espère avoir le courage de les mettre dans la boîte. Moi je n'ai rien pris : j'espère avoir le courage tout court. Les Marcou nous accompagnent, ils convoient les filles : Clara, Camilla et Diane, que nous n'avons jamais réussi à dissuader d'assister à ça qui me fait, à moi, tellement tellement peur. Ton cadavre en live sous nos yeux. Elles ont mis des robes et des talons, se sont maquillées comme pour une soirée chic. Dans la cour vieillotte du bâtiment de briques, elles font une fleur à trois têtes, trois brunes qui ont perdu leur soleil blond, trois gardiennes glamour de ton sommeil éternel. Il pleuvait hier, il pleuvra demain, mais aujourd'hui, chaton, pour ton dernier jour de surface, il fait beau.

Des gens s'affairent, en blouse blanche, en costume gris, s'échangent des papiers, en tamponnent d'autres. Il faut encore patienter, le froid commence à être piquant, les filles se réfugient à l'intérieur d'une salle d'attente un peu lugubre où on peut quand même attraper un café au distributeur; les adultes restent dehors, serrés sur l'unique banc. Et puis enfin, un signal est donné : tu es «visible». C'est Delphine et Babette qui les premières ont le courage d'aller dans la salle où tu es «exposée». Elles grimpent les trois marches du perron et disparaissent à l'intérieur du bâtiment. Là elles ont fait un truc de fou, mon chaton : elles ont défait les tresses que les services de toilette mortuaire t'avaient faites. J'avais pourtant donné des instructions par écrit : laisser la coiffure libre. Tu te rends compte? Elles ont dénoué les cheveux d'un cadavre... C'est ce qu'elles m'ont expliqué en sortant. Elles l'ont raconté, parce que dire ça les tenait debout. Ne rien dire les aurait mises par terre. C'est aussi simple que ça. Et puis c'est tes amies qui y sont allées. Moi j'avais toujours rien décidé. Depuis des jours je me demandais si j'aurais ce courage, ce désir... Et, à son tour, papa y est allé. Chaque fois que je voyais les gens s'engouffrer à l'intérieur, aspirés par le noir du bâtiment quand la cour était si lumineuse,

je me disais que, si je franchissais cette porte aussi, ce serait pour me coucher sur ton corps et y mourir enfin. Pourtant je me suis vue me décoller du banc, traverser la petite cour, monter les trois marches, comme aimantée. Deuxième salle à droite.
Là, franchement, c'est de l'irracontable. Un corps dans un cercueil, on en voit dans tous les films. D'abord, j'ai vu ce pull bleu lagon que Tantine t'a offert pour Noël et j'ai pensé – Ouais, cool, il lui va vraiment bien. Dans le même instant, j'ai revu Papoune dans son cercueil avec le pull vert jade que Sylvie lui avait offert pour Noël et qui, ouais, cool, lui allait vraiment bien. Et puis après je ne me souviens plus de rien. Peut-être l'équivalent d'une décharge électrique ou d'une balle dans l'abdomen. J'ai hurlé. Les filles faisaient grappe, papa tournait autour de toi. Il murmurait des trucs, disposait les photos : papa contre ta tempe droite, maman contre ta tempe gauche, faisait une place pour le gros cul de Caramel. Je continuais à hurler. Et je me suis jetée dehors.
Assise sur le banc en face du perron, pile dans le cadre de la sortie de la chambre mortuaire, Babette m'a vue sortir. Elle a dit que c'était comme *Le Cri* de Munch, qu'elle a cru voir *Le Cri* de Munch. Je connais ce tableau, tu le connais aussi, je crois. Je m'en suis presque voulu que cette vision s'impose dans sa tête. Je crois que Babette a vu un truc insupportable : une mère qui vient de voir sa fille de 16 ans dans son cercueil juste avant qu'on mette le couvercle. Cinq jours

avant on pouvait tous te toucher, t'embrasser, t'engueuler. C'est trop de folie. Trop de douleur. Qu'avait vu Munch ?

Après, chaton, tout va rester dans cette tonalité-là. Dingue, improbable, surréaliste. Il y a ce fourgon dans lequel on a transporté ton corps de l'hôpital au cimetière. Papa assis à l'avant, à côté du chauffeur patenté des Pompes funèbres, Tantine et moi un peu serrées à l'arrière, coincées entre ton cercueil et les bouquets. La Traversée de Paris. On fait des blagues, on tapote le couvercle en te demandant si ça va là-d'dans?, on s'inquiète pour toi à chaque cahot de la route, on lit les cartes de visite des bouquets et on te raconte tout. À l'arrière des berlines... Passé le périphérique, on repère des gens, en groupes ou isolés, avec des fleurs à la main, qui convergent dans la direction du cimetière. Le fourgon passe devant le lycée, c'est le chemin ; et on voit tous tes copains de classe en procession. Ils montent par essaims, les beaux ados, filles et garçons, une fleur au bout du bras à la place de leur cartable, le pas vif. C'est prévu pour 15 heures, il est moins le quart quand on franchit les grilles, et déjà on peut parler d'une «foule immense». Une foule immense, chaton, pour te dire adieu et soutenir tes parents. Oh, bien sûr, je ne te ferai pas la liste, d'autant plus qu'il y avait plein de gens que tu ne connais même pas, dont la présence m'a surprise, sidérée, abasourdie. Mais il faut quand même te dire, quand même que tu saches que tes profs, de la maternelle au lycée; que tes voisins, de la boulangère à la patronne du café; que mes collègues, des Corneille à Shakespeare; que tes camarades, du quartier ou des vacances, étaient là, nombreux, incroyablement nombreux. Je veux quand même que tu saches que Michèle et Bernard sont venus, allers-retours en TGV, l'une de Montpellier l'autre de Bordeaux, et qu'ils occupaient ce banc, au premier rang, dévolu à la famille. Manu en avait réservé toute la longueur, persuadé qu'allaient s'y asseoir une armée de grands-parents, de tantes et de cousins. Il a fait une drôle de tête quand je lui ai dit qu'il pouvait en libérer plus de la moitié – non, Manu, merci, trois places, ça suffit. Lui : «Elle a donc pas de papi-mamie la p'tite puce?» Alors j'ai invité sur ce banc les seules personnes présentes de la génération de mes parents, aucune de mon sang ni du sang de ton père : Michèle et Bernard. Le dernier amour et le dernier copain de Papoune, se vouvoyant entre les larmes. J'ai rigolé parce que des gens ont même cru que c'était un couple! Les imaginaires ont tendance à la simplification quand la réalité est trop cruelle.

Il faut que tu saches que Maschpro aussi avait pris un train, que Diane m'a fait pleurer en disant son texte : «Avec qui je vais faire Sciences Po? Avec qui je vais aller à Londres?», que tu as eu vingt-huit alexandrins composés rien que pour toi et lus par le beau Marco, qu'en lisant ton poème Carole avait le menton qui tremblait, que Hugo est le seul garçon de ton âge qui a eu le courage de parler, et que c'est donc Clara qui a réussi à faire rire l'assemblée avec cette histoire de vernis assorti à ton pull qui te rend «classe pour l'éternité». Tout ça dans cette salle du funérarium pleine comme un œuf, un peu saturée du parfum des lys. Mon cœur était comme une sorte de grosse méduse opaline et phosphorescente qui rentrait dans la poitrine de chacun pour cueillir du souffle. Et puis pendant que ZAZ nous chantait sa java du *On ira* où t'iras jamais, les officiants ont fait sortir ta boîte par l'arrière, l'ont rechargée dans le fourgon pour faire la centaine de mètres qui nous séparait du cimetière, puis l'ont installée sur des tréteaux dans une allée où le soleil baissait dans l'alignement de ta tête. Très chic, le contre-jour. Une file interminable s'est formée pour déposer une fleur sur ton couvercle, et comme on avait soigné les détails, tu as eu de la musique jusqu'au bout. Virginie avait réuni les quelques membres de ton cours qui s'en sentaient le courage pour chanter un gospel autour de ton cercueil, et Afida-la-Magnifique a laissé éclater une longue plainte berbère dans le jour qui finissait. Ce sont les derniers sons que tu as entendus; de l'arabe, je trouve ça très classe, sûr que ça t'a plu. Ton cercueil disparaissait sous les fleurs de toutes les couleurs. Je voguais de bras en bras, et papa était sous un arbre dans son caban, tel le grand capitaine de la chanson, planté comme un immense pissenlit que tu pourras année après année manger par la racine.

*Montreuil*

J'ai quitté Marseille, chaton, on est le 7 avril. Je suis de retour à la maison, la tienne, la nôtre, avec le chat sur les genoux et l'écran devant les yeux. C'est incroyable comme c'est propre sous l'ordinateur ! À part quelques cendres tombées des clopes de papa, il n'y a plus de tapis de miettes. Gâteaux, Chocapic, quignon de baguette, tu grignotais non stop devant l'ordi ; ça me mettait les nerfs en vrac. Même mes colères terribles contre toi me manquent. Tu vois, je m'étais promis de finir face à la mer ; mais souvent j'ai trop pleuré, ou trop bu de vin blanc, ou trop repoussé le point final, comme si un obus pouvait être d'encre, splash. J'ai pourtant rapporté un boulet, une sphère en pâte de verre, qui doit peser plus lourd que ton crâne sous terre, un truc d'un gris de jade qu'on m'a offert pour toi, pour ta tombe, ramassé sur la plage de Montredon qui fait face à une verrerie désaffectée. Ses déchets font depuis des générations le bonheur des enfants glaneurs et des divorcées qui se lancent dans la mosaïque. Du coup j'ai aussi déposé les galets de Picardie, ceux qui étaient restés dans le coffre. Tu es très jolie, oui oui, sous toutes ces fleurs qui prospèrent dans le bon terreau qu'on a mis avec Tantine, mais je suis contente qu'advienne enfin un peu de minéral… Tu sais que je n'ai pas la main verte ; et même si tu te moquais de moi quand je passais amoureusement le plumeau sur ma collection de cailloux, je sais bien que tu avais tes préférés – ceux d'Égypte rapportés par Nadège, mon éclat du mur de Berlin, ce morceau de macadam…

Tu sais, les gens sont terriblement gênés quand ils questionnent notre santé mentale. Ils ont des formules qui bégayent d'euphémismes maladroits. Ils disent : le « drame », la « tragédie », le « grand malheur qui vous est arrivé ». Ça donne des phrases comme : « Et tu arrives à dormir depuis le grand malheur qui vous est arrivé ? » Alors de la même manière que je leur ai demandé de prononcer ton nom de temps en temps, je leur dis de simplifier, d'appeler les choses par leur nom, de dire : « La mort de Camille ». Ça donne : « Et tu arrives à dormir depuis la mort de Camille ? » Ce Grand Malheur s'appelle la Mort de Camille. Point barre. C'est aussi simple que ça. Je sens que ça leur paraît brutal, que ça déforme leur bouche. Mais tu n'es pas soluble dans les généralités.

C'est peut-être aussi pour ça que papa a doucement disparu au fil des pages. C'est un « nous » qui serait devenu général, un pôpa-môman de magazine, qui ne t'aurait pas piqué la joue comme seule sa barbe, réjoui les narines comme seule son odeur, agacé ma jalousie comme seule votre complicité.

*Jeudi 2 janvier – cimetière – suite*

Puis les amis se sont dispersés. Certains s'étaient fait glisser dans l'oreille l'adresse de l'atelier de Christine pour qu'on se retrouve, pour boire, manger, et installer dans nos cœurs ton installation dans la terre; et Carole m'a glissé dans la poche du manteau les clés de la Picardie. «Allez-y quand vous voulez, c'est chez vous.» Classe. Le baume pouvait même avoir des murs et une cheminée. Pendant ce temps, les fossoyeurs remblayaient ta tombe. Comme le veut l'usage, va savoir pourquoi, j'ai glissé un billet aux agents du cimetière, en pensant que mince, on avait oublié de faire de même pour les étrennes de la concierge... Voilà, c'est ça les trucs absurdes : dans le son des pelletées de terre qu'on jette sur ton cercueil, maman pense à ses devoirs bourgeois, l'aumône au petit personnel... Puis, pose de la plaque : Mlle Camille Lucas 1997-2013. J'aime bien le *mademoiselle*... Puis, 17 heures : la cloche sonne. Le gardien devant la grille a déjà les clés dans sa main. On se croirait dans les cafés à l'heure de la fermeture quand on a coupé la musique et rallumé les plafonniers. On se dit au revoir. À Manu un grand merci : merci, Manu, merci beaucoup. Et bravo vraiment, c'était très réussi, très pro, très émouvant; on l'a rêvé, PFG l'a fait. D'ailleurs quelques jours plus tard, dans la boîte aux lettres, j'ai trouvé un questionnaire de satisfaction envoyé par la société de Pompes funèbres, qui s'appellent maintenant Services funéraires. Même si on te l'a fait en grande pompe, ton enterrement. J'ai coché partout «parfait, très satisfaite». Encore un truc absurde. Et puis par petits paquets on s'est laissés glisser sur le trottoir qui longe l'enceinte du cimetière. J'ai eu deux cavaliers : Tom, ton amoureux de CE2 avec ses yeux tellement verts, et Xavier, qui m'a pris le bras comme à une vieille fiancée. C'est tout près à pied, tu sais bien, vraiment pratique, et en quelques minutes on était au chaud. Tout était parfaitement préparé, accueillant, chaleureux... J'ai franchement des bonnes copines. Et dans cet endroit «spécial fête et vernissages», on s'est jetés sur les cakes aux olives comme aux fêtes et vernissages. Là, tu sais, je crois qu'en ce qui me concerne, on peut vraiment parler d'état second. Des paroles, des verres et des larmes en flots continus pour boxer la gueule au chagrin. Je vais te raconter une seule chose. Si tu te fais quelque part un album photo de tes parents depuis qu'ils ne sont plus parents, il y a forcément cette photo-ci, avec même

un gros plan sur mon pouce au clavier du portable – t'auras zoomé et trafiqué sur Photoshop, je sais que tu sais le faire.
Alors voilà : je ne sais pas si tu te souviens que Marc a pour habitude d'appeler tous les gens qu'il aime bien «chaton». Dans les coulisses, dans les loges, au café, il sème des petits chatons à poil doux qui ronronnent entre nous. Ce soir-là, dans l'atelier bondé, pour attraper un verre, contourner le buffet ou réclamer trois chips, il répétait des *pardon chaton*, des *merci chaton*, avec des foulards de chagrin enroulés dans sa belle voix grave. Moi ça finissait par me faire comme un frelon dans les oreilles. J'étais en train de parler devant le buffet avec Aurore, j'avais mon téléphone à la main pour y relire avec elle le texto qu'elle m'avait envoyé (*La vie est une vraie pute.* Celui-là, je m'étais juré de le garder. La vie est une vraie pute... Moi j'aurais jamais dit ça. J'aime pas les gifles. Ni les gros mots. Mais lire LE texto d'Aurore m'a longtemps giflée comme on réveille les évanouies. Comme papa m'a giflée le soir dit «celui où j'ai voulu mourir». Une autre photo pour ton album), il a penché son buste entre nous pour se saisir d'une part de quiche : *«pardon chaton»*.

Moi : «Marc y faut que t'arrêtes là; tu peux plus dire chaton comme ça tout le temps à tout le monde!»
Lui : «Ben pourquoi? C'est gentil c'est affectueux...»
Il y avait plein de douceur dans ses yeux rouges.

Moi : «Je sais bien, Marco, je sais bien... mais là c'est plus possible.»
Lui : «Mais pourquoi?»
Moi : «Ben tu te souviens pas que j'appelais Camille chaton?»
Lui : «???? »
Moi : «Mais si tu sais bien! C'est trop dur là de t'entendre, ça fait trop mal...»
Lui : «T'appelais Camille chaton?»
Moi : «Ben oui, d'ailleurs regarde!»
Je me mets à fouiller dans mon répertoire, trois clics pour C, deux clics pour H. Paf : CHATON; ça apparaît sur l'écran. Je lui fourre sous le nez.
Moi : Là tu vois : CHA-TON! – 06 72 86...»
Je m'embrouille en disant ton numéro, comme d'habitude, je ne l'ai jamais retenu.
Moi, continuant : «Et d'ailleurs regarde, regardez tous ce que je vais faire, là, sous vos yeux. Oui, je vais le faire! Regardez!»
Je crois que je parlais trop fort, que dans la rue ma voix que je ne reconnaissais pas aurait provoqué un attroupement, des inquiétudes.
Moi : «Là, vous voyez? Un clic pour Options, puis Répondre, Enregistrer, Modifier... Là! voilà! quatrième clic : SUP-PRI-MER.»
Et *clic* je t'ai supprimée. Effacée. Erased.

Après je me suis pliée en deux, des rouleaux de larmes tombaient dans les quiches et les terrines, mon cri du

dedans a masqué les voix, le temps... Tout est resté suspendu dans le bourdonnement de ton nom en route vers le néant.
J'ai fait ça, chaton.
Je t'ai supprimée de mon répertoire de téléphone, cet objet qui ne me quitte jamais.
C'était ma pelletée de terre à moi.
Ton sésame vers le rien. Ta délivrance, la fin du lien, la rupture du troisième cordon, ombilical le 12 juin 1997, symbolique l'été 2009 (tu parlais toi-même d'une deuxième naissance, émerveillée par le champ des possibles que l'adolescence ouvrait devant toi), mortel le 2 janvier 2014.
Oui, je commence à mourir doucement. Je n'y avais jamais pensé.

On a quitté l'atelier de Christine où les sacs-poubelles commençaient à déborder d'assiettes en carton et de gobelets en plastique comme si nous, nous-mêmes, étions des déchets. Papa et moi serrés dans le froid, dans la nuit, ivres et exténués, titubant vers le reste de nos jours, avec toutefois la sensation un peu bizarre de flotter au-dessus du sol, comme si la somme des mots d'amour reçus et entendus tout au long de la journée formait un chemin de coton, une ouate anesthésiante. Neuf jours après ta mort, l'air dans la maison au retour de ton enterrement était saturé de larmes et de douleur. Un jus, un bouillon, une marinade. Le chagrin a-t-il une odeur? On a rallumé

Clochette. Je suis allée faire pipi et il y avait du sang. Un sang de jeune fille alors que voilà des mois que je ne saignais plus. J'ai pensé au tien, toujours mal rincé dans la cuvette des wc J'ai entendu ma voix te répéter mois après mois : «Chaton, quand tu as tes règles, s'il te plaît, nettoie les chiottes!» Défuntes matrices. Fin des festivités. L'élastique qui nous a tendus jusqu'à la cérémonie s'est relâché d'un coup, pppfffuit. Le sommeil qui nous a saisis devait être pas loin du tien, de plomb, mais sans l'éternité. Hélas. Il fallait vivre encore un jour d'après. Et un jour d'après. Et un jour d'après.

*

Dans les jours d'après le magasin de location vidéo m'a réclamé *Aladdin*; j'ai rapporté le DVD sagement.
Dans les jours d'après Karen m'a annoncé sa deuxième grossesse. T'avais de l'avenir dans le baby-sitting.
Dans les jours d'après j'ai appris que Salim et Karima était fiancés. Salim, 22 ans, le fils de Kader, le bar de la rue Molière. On avait fêté tes 8 ans dans le jardin à l'arrière du troquet. Salim en avait alors 15 et un gros chien qui avait volé la vedette à tous les jeux que j'avais préparés pour la marmaille. Tu sais comme je suis organisée. Depuis Kader est mort, peu après toi. Salim prend femme et reprend l'affaire. La fiancée, c'est Karima, ta CPE au lycée. Je t'entends dire : «Diiiinnngue! Mais c'est un truc de ouf! Ma CPE et le fils à Kader!»

Dans les jours d'après est apparue cette locution : «du vivant de Camille». Pour me repérer dans le temps parfois je disais : «Ben non, Camille était pas encore née.» Maintenant je dis : «Ben non, Camille était pas encore morte.»
Dans les jours d'après vont arriver la Fête des mères et tes 17 ans.
Dans les jours d'après nous distribuerons tes soixante-dix-sept peluches, une par une ou deux par deux, à des fossés dans les campagnes, à des clairières, à des rochers. C'est joli, ces ours, ces lapins, ces petits chats abandonnés sur les tapis de mousse, prenant la pluie sous les marguerites.
Dans les jours d'après nous prendrons nos vacances hors période scolaire avec les retraités. C'est même déjà vaguement prévu en juin, et pour la Fête de la musique on sera peut-être sur une pointe de Bretagne, devant un podium chahuté par le vent où deux belles jeunes filles chanteront des ballades celtiques que nous aurions essayé de reproduire après dans la voiture; tu aurais fait la deuxième voix.
Dans les jours d'après s'installe l'APRÈS. Sinistre pilotage automatique. Greffé sur l'ordinaire dans l'impensable de ta non-vie.

Voilà, mon chaton, j'avais promis que j'irais jusque-là. Pas au-delà. Pas au-delà de toi sous terre. Parce que, comme je l'ai dit, il y a presque quatre mois déjà en commençant ce texte, je me connais, après ça va tourner en mots pompeux qui friment en poème, en élégie, en ode, en requiem égocentré. Si ce n'est pas déjà fait. J'ai écrit cent cinquante pages de béquilles en me souvenant de ce que tu aimais de moi : mes créneaux, mes ourlets, mes quiches, mon allant ; alors j'ai gardé intacts mes créneaux, mes ourlets, mes quiches, mon allant. J'ai écrit cent cinquante pages de béquilles en regardant dans la maison le papier-cul, le Sopalin et le dentifrice diminuer moins vite ; en soustrayant de mon budget tous les euros pour tes cours de chant, la cantine, le Nutella, les sorties scolaires, les lots de chaussettes et de culottes, les places de ciné, etc. ; en gardant au fond du porte-monnaie le dernier billet de vingt euros que j'aurais claqué dans les villes de tournée pour te rapporter une bricole à la con. Je fais donc des économies… Tu vois, toujours les « mauvaises pensées »… Il m'arrive même de calculer que tu aurais pu attendre 2014 pour mourir, tenir quelques jours de plus, comme ça j'aurais encore un enfant à charge pour les impôts ! Je contribuerai donc encore plus pour ceux qui en ont, des enfants. Pour ceux qui ont gardé les leurs. Pour ceux qui vont en faire et qui trembleront pour eux.

J'ai fini de trembler pour toi.

Maintenant il va falloir finir d'écrire ; écrire était encore un tremblement, un spasme de ta vie dans mes mots. J'ai peur de te laisser, mais je me l'impose. Ne pas pleurnicher quatre ans quand tu t'es battue quatre jours. Tu as été si courageuse que mon courage sera dans ce tout prochain point final.

*

Aujourd'hui c'est Pâques et je te vois me voir.

Moi qui n'ai jamais vécu sous le regard de Dieu ni sous l'œil de Moscou, je vois ton bleu guetter le noir de mon deuil, je suis sous l'aile de ta non-vie, à son ombre à son soleil, dans le raffut des cloches de ton silence, dans la désolante insouciance que ta mort m'impose, sans inquiétude pour des parents vieux et malades, sans insomnies pour des enfants à la dérive. Je suis pénétrée de ta mort par toutes les fibres de mon corps, toutes mes veines sont calcifiées par la poudre de tes os. Je te vois voir le tassement de mon âme, je te vois m'attendre. Je frappe doucement à ta porte, tu n'es qu'endormie, et je peux baiser ta joue tout abricotée de sommeil. « Maman est rentrée, chaton, je suis là. Rendors-toi. » Quand tu étais malade ces quatre jours, j'ai caressé sans fin ta joue enfiévrée, aspirant dans ma paume les degrés en trop, la chaleur anormale. Je te voudrais encore, malade, mais pas morte.

C'est Pâques et tu ne ressusciteras pas.

*

Aujourd'hui c'est le 23 avril. Le quatrième anniversaire de ta mort tant qu'ils se comptent encore en mois. C'est un bon jour pour finir d'écrire, tu ne trouves pas ? Avant-hier les derniers mots que j'ai dits sur scène cette saison théâtrale sont : *« Adieu mon enfant. »* C'est dans *Les Petites Empêchées*, toi mon empêchée majeure. Ce sont de bons mots pour finir cette saison, tu ne trouves pas ?

Moi qui aimais tant te voir de loin…

Quand tu t'avançais vers moi du bout de la rue, avec ton cartable battant sur ta hanche, le fil blanc de tes écouteurs zigzaguant entre tes cheveux, tes écharpes et tes poches ; une petite femme maintenant, les cuisses encore un peu rondes dans l'inévitable jean, et ce port de tête très réussi. Un peu radieuse-épanouie tu vois, comme on aimait chanter la Barbara de Brest.

Tu t'avançais vers moi, tu me voyais te voir, et le fil entre nous, d'or celui-là, se tendait d'amour, de fierté, d'un orgueil femelle, d'une assurance d'amazone.

Moi qui aimais tant te voir de loin, maintenant je suis servie – je ne te vois plus du tout.

Adieu, mon enfant.

## Remerciements

Un grand merci à Agnès Lechat et Jean-Marie Bretagne, sans qui ce texte ne serait jamais devenu un livre, ainsi qu'à toutes celles et ceux qui figurent dans ces pages.

Cet ouvrage a été achevé d'imprimer
en septembre 2015 dans les ateliers de
Normandie Roto s.a.s. - 61250 Lonrai

N° d'imprimeur : 1504004
Dépôt légal : août 2015
ISBN 978-2-84876-468-9
*Imprimé en France*

REJETÉ
DISCARD